面倒なことは ChatGPT にやらせよう

カレーちゃん
からあげ 著

講談社

ご注意　ご購入・ご利用の前に必ずお読みください。

- 本書に記載された内容は、情報共有のみが目的です。したがって、本書を用いた運用は、必ずお客様自身の責任と判断により行ってください。これらの情報の運用の結果について、講談社および著者は一切責任を負わないものとします。あらかじめご了承ください。

- 本書は、2023年11月現在の情報に基づいて作成されています。ご利用時には、変更されている場合もあります。また、ハードウェア、ソフトウェア、サービスに関する記述は、とくに断りのないかぎり、2023年11月現在での最新バージョンをもとにしています。ソフトウェアはバージョンアップされる場合があり、本書での説明とは機能内容や画面図などが異なってしまうこともありえます。本書ご購入の前に、必ずバージョン番号をご確認ください。

- 本書発行後に仕様が変更されたハードウェア、ソフトウェア、サービスの内容などに関するご質問にはお答えできない場合があります。該当書籍の奥付に記載されている初版発行日から1年が経過した場合、もしくは本書で紹介している製品やサービスについて提供会社によるサポートが終了した場合は、ご質問にお答えしかねる場合があります。また、ハードウェア、ソフトウェア、サービス自体の不具合に関するご質問にはお答えできませんのでご了承ください。

- お電話でのお問い合わせは受け付けておりません。質問については、サポートサイトの正誤表をご覧のうえ、サポートサイトに掲載しているリンクから送付してください。

- ChatGPTは、毎回異なる回答を行います。また、本書に記載した回答例は、一部修正、省略していることがあります。

- 以上の注意事項をご承諾いただいたうえで、本書をご利用願います。これらの注意事項をお読みいただかずに、お問い合わせいただいても、講談社および著者は対処しかねます。あらかじめ、ご承知おきください。

はじめに

生成AI活用で仕事はもっと快適になる

面倒なことはChatGPTにやらせよう！

本書は「面倒なことをChatGPTにお願いして楽になろう」という趣旨の本です。日々の仕事や生活で発生するさまざまな面倒ごとをChatGPTにおまかせする方法を紹介していきます。きっと多くの作業や仕事を効率化、削減することにより仕事がもっと快適になることでしょう。

ChatGPTはとにかく楽しい！

それに加えて筆者が伝えたいのは、ChatGPT、とくに本書で集中的に取り上げる**ChatGPT Plusで使える拡張機能を使って何かをしてもらうことは、とにかく楽しいということです。**たとえば、Excelに入った売上データを渡して分析するようお願いすれば、自分で分析してグラフを作ってくれます。思い通りのきれいな画像の生成やExcel・PDF・画像の処理もすぐにできますし、面倒なPowerPointでのスライド作成だってお手のものです。「こんなアプリがほしい」とお願いすれば、PC上で動く簡単なアプリまで作れてしまいます。

これまでプログラミングができる人にしかできなかったことが、ChatGPTの登場により誰にでも簡単にできるようになったのです。筆者はエンジニアなのでこれまで自分でコードを書いてきましたが、コードを書くのはときに難しく、苦しく感じる場面もありました。しかし、ChatGPTを使いはじめてから、「やりたいこと」を実現するための手段が大きく広がったと感じています。ChatGPTは、仕事のお手伝いをしてくれる力強いパートナーであり、さらに自分でコードを作りたい人にとっては偉大な先生でもあるのです。

日常生活やビジネスでもAIの活用が当たり前に

今、AIはものすごい速度で進化を続けています。将棋や囲碁の世界では、すでにAIが人間の能力を超えていて、今やプロ棋士でさえ、強くなるためにAIをうまく活用している状況です。この状況は、ChatGPTのような生成AIが登場したことで、いよいよ囲碁や将棋といった閉じたゲームの世界だけでなく、私たちの日常でも起こりつつあります。

つまり、今後囲碁や将棋の棋士のように、**私たちが日常生活やビジネスでAIを活用したり、ときにはAIが私たちの先生となったりすることが当たり前になることでしょう。**

不安がるよりも、飛び込んで楽しもう

AIの進歩は著しく、世界は大きく変わりつつあります。**そんなAI活用の潮流に不安を抱えて立ち止まるよりは、私はぜひ思い切って飛び込んで楽しんでほしいと考えています。**今思えば、インターネットやスマートフォンにも昔は賛否両論あったものです。使わない人もたくさんいましたが、今は誰しもが使っています。反対していた人も、使ってみると便利で、ほとんどの人がもっと早く使えばよかったと感じているのではないでしょうか？　筆者は、生成AIもきっとインターネットやスマートフォンのように、人々の生活になくてはならない便利なツールになると思っています。

ChatGPTを使う中で、活用のためにはいろいろなコツや注意点があることが分かってきました。**この本には筆者らの試行錯誤を通じて得た、ChatGPTを短時間で使いこなすための多くのコツがギュッと濃縮されています。**

ChatGPTは、使うなら早いにこしたことはありません。「面倒なことをChatGPTにやらせる」その一歩に、この本が少しでもお役に立つことを願っております。

ボクはライスくん！　文系の大学生で、最近AIに興味を持っているけれどまだうまく使えないんだ。みんなと一緒にChatGPTを勉強していくよ！

私はチキン姉さん。ライスくんとは姉弟でAIベンチャーで働いているエンジニアよ。最近、AIに興味津々のライスくんにAIのことを教えてるの。

チキン姉さん、やさしく教えてね！

ビシバシいくわよ！！

本書の使い方

本書の特徴

本書は、AIチャットサービス「ChatGPT」とその有料版であるChatGPT Plusで使える拡張機能の使い方に焦点を絞った書籍です。

筆者ら（カレーちゃん、からあげ）は、データサイエンス・AIを業務で扱っており、データサイエンス・AI関連の初心者向けの書籍を多数執筆[1]しています。本書でも、ChatGPTと拡張機能に関して、その使い方を実践し、楽しみながら学べるようにわかりやすく解説しています。

本書の各節には、ChatGPTと拡張機能を使ってタスクを実行するために使う、実際のプロンプト（ユーザーがAIに対して入力する指示）とその結果、プロンプトのテクニック（注意すべき点）が記載されています。それぞれの節の最後には、重要なポイントをまとめています。

ぜひ、本書をまねして、ChatGPTにお願いをしてみてください。最初は、本の通りに実行し、どのようにお願いすればよいのかというコツを掴んでください。慣れてきたら、自分なりに少しプロンプトを工夫して、どのようにChatGPTの動きが変わるのか体感してください。試行錯誤を繰り返すことで、

[1] カレーちゃん:『実践 Data Science シリーズ Python ではじめる Kaggle スタートブック』（講談社）、からあげ:『人気ブロガーからあげ先生のとにかく楽しい AI 自作教室』（日経 BP）など

ChatGPTにどのようにお願いすればいいのか、どのくらいのことまでできるのかという感覚が身についてくると思います。

その次は、ぜひ本書に書かれていないようなタスク、とくに本書のタイトルにもある、あなた自身の「面倒なこと」にChatGPTで取り組んでみてください。ひとたび面倒なことから解放されたら、きっとあなたは次々とChatGPTにさまざまな面倒なことを頼みたくなり、ChatGPTを手放せなくなるでしょう。

本書の対象読者

本書の対象読者は次のような方々を想定しています。

1. **仕事や日常生活のタスクの自動化、省力化をしたい方**
2. **ChatGPTに興味がある方、すでに使っている方**
3. **機械学習・AIを学びたい初学者〜中級者**

このうちどれか一つでも当てはまれば問題ありません。また、本書の活用にあたっては、機械学習・AI及びプログラミングの知識は、なくてもかまいません。**ChatGPTの拡張機能の最大の特徴・魅力は、AIやプログラムの知識がない人に、プログラミングの力を得られるようにすることだからです。**

また、プログラミングのコードが書ける人、勉強したい人にとってもChatGPTは非常に強力なツールになります。本書でも、ChatGPTにデータの可視化をしてもらう使い方やプログラミングを教えてもらうような使い方なども解説いたします。

本書の構成

本書は第1部から第4部までで構成されています。

第1部「知っておきたいChatGPTの基本」では、ChatGPTと拡張機能の基礎知識と、ChatGPTに思った通りの回答（出力）をさせるための初歩的なテクニック、セットアップと使い方の基本を説明します。

第2部「ChatGPTが使える日常テクニック」では、実際にChatGPTで日常の「面倒なこと」を解消していきます。繰り返し作業の省力化、さまざまなファイルの処理・生成（画像/音声/PDFなど）やExcelファイルの操作・スライド作成を説明します。

第3部「ChatGPTでのデータサイエンス」では、ChatGPTを使い、データサイエンスに取り組みます。データサイエンスは、データを用いて新しい科学的な知見や社会にとって有益な知見を引き出すためのアプローチです。本書では、多数のデータに対して可視化・分析・予測などのデータ処理を行います。

第4部「ChatGPTのさらに便利な応用テクニック」は、第3部までの内容から一歩進んだ内容を扱います。

13章～16章では、発展編として少し高度なタスクにチャレンジします。といっても、高度な知識は不要です。日本語さえ使えれば、ビジネスシーンでの仕事効率化や、ゲームやアプリの作成、プログラミングの勉強もできてしまうのです。これがChatGPTと拡張機能の魅力です。

17章では、自分専用のChatGPTが作れるGPTsや、ChatGPTと組み合わせて力を発揮するツールを紹介します。

❁ サポートサイト

本書ではNotion上にサポートサイトを準備しています（**図A.1**）。

図A.1 **サポートサイトのQRコード**[2]

サポートサイトでは、書籍で取り上げたプロンプト、書籍の誤記訂正、FAQ、問い合わせ先といった情報を掲載いたします。

書籍の通り動かない場合や、書籍の内容に疑問、間違いがあった場合は、まずサポートサイトを参照いただけましたら幸いです。

❁ ご注意

本書に掲載している、ChatGPTが生成した文章やファイルは、一部修正・省略しています。ChatGPTのシステム上、生成する文章やファイルは毎回変わりますので、書籍に掲載している文章と一言一句同じ文章が生成されないことをご了承ください。思い通り動かない際は、ぜひ何度か同じプロンプトを試してみてください。

[2] https://let-chatgpt-do-the-troublesome-work.notion.site/ChatGPT-4b826218a1fb40ffa97c84518f0fff22

著者紹介

カレーちゃん

AIエンジニア。趣味はデータ分析コンペとフットサルとX（旧Twitter）。『実践Data Scienceシリーズ PythonではじめるKaggleスタートブック』、『Kaggleのチュートリアル　第6版』などデータ分析コンペであるKaggleに関する情報発信が好きでKaggle Grandmaster。好きな食べ物は、カレーと焼肉。

- ブログ：「カレーちゃんブログ」（https://www.currypurin.com）
- note：https://note.com/currypurin
- X（Twitter）：@currypurin（https://twitter.com/currypurin）

からあげ

東京大学松尾研究室／株式会社松尾研究所に所属のデータサイエンティスト。『人気ブロガーからあげ先生のとにかく楽しいAI自作教室』『Jetson Nano超入門』を執筆。『ラズパイマガジン』『日経Linux』など多数の商業誌・Webメディアへも記事を寄稿。個人としてモノづくりを楽しむメイカーとして「Ogaki Mini Maker Faire」をはじめとした複数のメイカー系イベントに出展。好きな食べ物は、からあげ。

- ブログ：「karaage.」（https://karaage.hatenadiary.jp）
- X（Twitter）：@karaage0703（https://twitter.com/karaage0703）

CONTENTS

はじめに ……… iii

生成AI活用で仕事はもっと快適になる ……… iii

本書の使い方 ……… v

早見表 ……… xiv

PART 1 知っておきたいChatGPTの基本 001

CHAPTER 1 **ChatGPTの基礎知識** ……… 002

1.1 ChatGPTの概要 ……… 002

1.2 拡張機能の紹介 ……… 006

1.3 ChatGPTの便利なところ ……… 008

1.4 ChatGPTを使うときの注意点 ……… 010

CHAPTER 2 **ChatGPTの基本的な使い方** ……… 016

2.1 基本的な使い方 ……… 016

2.2 効果的なプロンプトの書き方とコミュニケーションのヒント ……… 021

2.3 カスタム指示 ……… 025

CHAPTER 3 **ChatGPT Plusのセットアップ** ……… 028

3.1 拡張機能を使うためには ……… 028

3.2 ChatGPTの拡張機能の動作確認 ……… 031

CHAPTER 4 **ファイルのアップロードとダウンロード** ……… 036

4.1 アップロード・ダウンロード ……… 036

4.2 扱うことができるファイル ……… 040

PART 2 ChatGPTが使える日常テクニック 043

CHAPTER 5 **繰り返し作業を一瞬で** ……… 044

5.1 文字列操作 ……… 044
5.2 正規表現でのパターンマッチ ……… 050
5.3 ファイルの一括操作 ……… 055
5.4 QRコード作成 ……… 059

CHAPTER 6 **画像の多彩な加工・生成** ……… 062

6.1 基本的な画像処理 ……… 063
6.2 画像生成 ……… 069
6.3 画像認識 ……… 076
6.4 高度な画像処理 ……… 091

CHAPTER 7 **手軽に音声ファイル処理** ……… 098

7.1 音声ファイルの読み込み ……… 098
7.2 音声ファイルの可視化 ……… 100
7.3 音声ファイルの編集 ……… 102

CHAPTER 8 **丸投げ！ PowerPointスライド作成** ……… 107

8.1 スライドの作成 ……… 107
8.2 Webサイトを要約してスライドにする ……… 111

CHAPTER 9 **マニュアル不要でExcel操作** ……… 120

9.1 Excelファイルの読み込みとデータの確認 ……… 120
9.2 行と列の操作 ……… 123
9.3 グラフを描く ……… 125
9.4 関数の入力 ……… 126

CHAPTER 10 **WordファイルとPDFファイルの便利技** ……… 131

10.1 テキストデータの読み込みとWordファイルの生成 ……… 131
10.2 PDFファイルの読み込み ……… 136
10.3 PDFファイルの内容を要約する ……… 139
10.4 PDFファイルのページの結合、削除、回転 ……… 141

PART 3 ChatGPTでのデータサイエンス 145

CHAPTER 11 データからかんたんグラフ作成 ……… 146

11.1 データの可視化の重要性 ……… 146
11.2 基本的なデータ可視化技術 ……… 149
11.3 さまざまな可視化技術 ……… 156
11.4 表形式のデータ ……… 161
11.5 センサデータ ……… 164
11.6 世界地図・日本地図へのデータの可視化 ……… 170
11.7 ワークアウトデータ ……… 179
11.8 時系列データ ……… 184

CHAPTER 12 データからビジネスに役立つヒントを得る ……… 191

12.1 売上データ ……… 191
12.2 X（旧Twitter）データ ……… 198
12.3 金融データ（ビットコインの価格分析）……… 207

PART 4 ChatGPTのさらに便利な応用テクニック 213

CHAPTER 13 業務を効率化する ……… 214

13.1 Excelデータからグループ分けし、メール文を自動生成する ……… 214
13.2 Excelデータを別シートに集計し、分析結果をスライドにまとめる ……… 217
13.3 条件を満たしたシフト表をつくる ……… 224
13.4 マインドマップを自動生成する ……… 228
13.5 論文をガイドしてもらい読む ……… 235

CHAPTER 14 ゲームで遊ぶ ……… 238

14.1 国あてゲーム ……… 238
14.2 推理ゲーム ……… 241

CHAPTER 15 **ブラウザアプリを作る** ……… 244

15.1 時計アプリケーション ……… 244
15.2 ポモドーロアプリ ……… 247

CHAPTER 16 **PythonをChatGPTと勉強する** ……… 252

16.1 ChatGPTにPythonを教えてもらう ……… 252
16.2 コードをアップし解説・実行をしてもらう ……… 256
16.3 コードを改善してもらう ……… 261

CHAPTER 17 **アドバンスな活用法にチャレンジ** ……… 263

17.1 GPTsで自分専用のGPTを作る ……… 264
17.2 無料で使えるPython実行環境：Google Colaboratory ……… 273
17.3 X（旧Twitter）データの分析の準備 ……… 279
17.4 X（旧Twitter）データからワードクラウドを作る ……… 284
17.5 類似ポストを検索するGPTを作る ……… 287

あとがき ……… 290

早見表

数字・アルファベット	
ChatGPT Plusのセットアップ	28
ChatGPTのエラーが起きたときの対処法（「新しいチャット」への移動）	35
ChatGPTのエラーが起きたときの対処法（サーバートラブルの確認）	14
ChatGPTの拡張機能の説明	6
ChatGPTの初期登録	16
ChatGPTの説明	2
ChatGPTの操作方法	17
ChatGPTのデータの学習をオフにする	12
ChatGPTの日本語化の設定	19
Excelの関数を書く	126
Excelのデータをカテゴリで抽出する	122
Excelのデータを集計してグラフを描く	125
Excelのデータを条件で抽出する	122
Excelファイルに1行ごとに空白の行を追加する	124
Excelファイルの行と列を入れ替える	123
Google Colabを使う	273
PDFファイルからテキストを抽出してテキストファイルに保存する	137
PDFファイルの結合をする	142
PDFファイルのページを回転する	143
PDFファイルのページを削除する	142
PDFファイルを要約する	139
PowerPointのスライドに入れる画像をWeb上から探す	117
PowerPointのスライドに入れる画像を作る	117
PowerPointのスライドに入れる画像を提案する	115
PowerPointのスライドをさらに詳しくする	109
PowerPointのスライドを作る	108
Pythonコードの解説をする	256
Pythonコードの改善点を指摘する	261
Pythonコードのリファクタリングをする	262
Pythonについて課題を出す	253
Pythonのプログラムを実行する	258
Pythonの勉強カリキュラムを考える	252
QRコードを作る	59
WebサイトをPowerPointのスライドを作る	111
Xデータから類似のポストを探す	287
Xデータからワードクラウドを作る	285
Xデータの前処理をする	280
Xのフォロワーを増やす方法を挙げる	200
Xのポストのコンテンツのバリエーションとエンゲージメントの関係を分析する	201
Xのポストの時間帯とエンゲージメントの関係を分析する	201
Xのポストの文字数とエンゲージメントの関係を分析する	203
あ	
アニメーションを作る	160 188
ある単語から始まる文章を抽出してテキストファイルに書き出す	53
移動平均のグラフを描く	187
売上データからグラフを描く	161
売上データから時間帯別の売り上げ動向を調べる	194
売上データに天気のデータを追加して分析する	195
売上データの商品販売数を集計する	192
絵文字を作る	93
音声ファイルの一括処理	105
音声ファイルの切り出しをする	102
音声ファイルのスペクトルを可視化する	100

項目	ページ
音声ファイルのタイムストレッチ	104
音声ファイルの波形を可視化する	100
音声ファイルのピッチシフト	104
音声ファイルの 無音部分をカットする	103
か	
顔にモザイクをかける	79
カスタム指示の設定	25
画像から顔を検出する	76
画像から文字を読み取る（OCR）	81
画像を一括で加工する	67
画像を生成する	69
画像を説明する	80
画像をモノクロに加工する	66
国あてゲームをする	238
グラフを自分の好みに カスタマイズする	154
グラフを日本語で表示する	149
さ	
シフト表を作る	224
詳細な日本地図を描く	179
新型コロナウイルスの 新規陽性者数のグラフを描く	184
推理ゲームをする	241
図の意味を説明する	85
世界地図にデータを可視化する	171
世界地図を描く	171
センサデータからグラフを描く	165
た	
単語の出現数を数える	46
単語をハイライト表示する	47
チャットボットを作る	264
データからグラフを描く	152
データからメール文を書く	214
データの詳しい分析をする	167
データを分析した結果を スライドにまとめる	217
時計アプリを作る	244
な	
似顔絵を描く	91
日本語で回答してもらう	27 32
日本地図にデータを可視化する	176
日本地図を描く	174
ニュースをチェックする	31
は	
ビットコインのデータをグラフ化する	207
ビットコインのデータを ボリンジャーバンドを使って分析する	209
ビットコインの値動きを集計する	211
ファイル形式を変換する	134
ファイルのアップロードとダウンロード	36
ファイル名を一括で変更する	55
ファイルを統合する	56
ファイルを読み込んで マインドマップを作る	232
プロンプトの効果的な書き方	21
文章から画像を生成する	72
文章からメールアドレスを抽出する	51
文章の比較をする	48
文章を要約する	132
ポモドーロアプリを作る	247
ま	
マインドマップを作る	228
文字数を数える	45
文字や単語のパターンを探す	54
ら・わ	
論文をガイドしてもらい読む	235
ワークアウトデータを地図に描く	181

アレンジで
使い方はさらに
広がるよ！

PART 1

知っておきたいChatGPTの基本

Let ChatGPT
do the troublesome work
for you

ChatGPTの基礎知識

実はChatGPTのことを全然知らないんだよね。教えてチキン姉さん！

仕方ないなぁ。1から教えてあげるから大丈夫！　ついてきてね！

チキン姉さんについていきます！

本書で主に扱うChatGPTとその拡張機能の概要と基礎知識、注意点を説明します。本章を読むことで、ChatGPTを活用していくための前提知識が身につきます。

1.1 ChatGPTの概要

ChatGPTとは何か？

最初に、ChatGPTについて概要を説明します。

ChatGPTは、チャット形式のインターフェースを持ったAI（人工知能）です。言語を扱うことのできる巨大なAIモデルは、**大規模言語モデル（Large Language Model、LLMと略されることもある）**という、2023年の現在、非常にホットな分野です。**ChatGPTは公開後たった5日で月間利用者数が100万人を超えており**、その人気ぶりを示しています。**図1.1**のとおり、Instagram、X（旧Twitter）、Netflixが月間利用者数100万人を超えるのに要した時間は、それぞれ2カ月半、2年、3年半です。

図1.1 各サービスの月間利用者数100万人を超えるのに要した時間 [1]

GPTはGenerative Pretrained Transformerの略称で、直訳すると「生成的な学習済みのTransformer」となります。Transformerは、翻訳などの自然言語処理を対象にGoogleの研究者が考案したAIモデルです。

従来、自然言語処理の分野では、RNN（再帰的ニューラルネットワーク）というアルゴリズムが使われていたのですが、このアルゴリズムでは長い文章をうまく扱えない、AIの学習にも時間がかかるといった問題があり、なかなか性能が上がりませんでした。

そこで登場したのがTransformerです。Transformerには、長い文章をうまく扱うことができるAttentionというしくみと、学習の時間を短縮するために処理を並列化する（同時に処理する）しくみが備わっており、非常に高性能です。

またTransformerは汎用的（多くの用途に使うことができる）アルゴリズムであることもわかってきています。自然言語の分野で高い性能を発揮することが知られたのち、自然言語以外の画像や音声などの分野にもその用途が広がりつつあります。

Transformerを使ったLLMは、GPT以外にもGoogleのBERT/Bard/T5、MetaのLLamaなど多数あります。ChatGPTに使われているGPT-4は、その

[1]「Number of ChatGPT Users (2023)」, Fabio Duarte, Exploding Topics, https://explodingtopics.com/blog/chatgpt-users

中でも2023年6月時点の比較（ベンチマーク[2]）で最高性能を誇っています。**ChatGPTは、現時点でもっとも高性能なチャットAIのひとつである**といえるでしょう。

ChatGPTって、ひょっとしたらボクより賢い？

……。

何か言ってよチキン姉さん！

ChatGPTの用途

ChatGPTとユーザーはチャット形式で、自然言語（日常生活で使用している言葉）でやりとりをします。とくに、**ユーザーがAIに対して入力する指示をプロンプトといいます。**具体的には、**図1.2**のようにユーザーはChatGPTにプロンプトを与え、ChatGPTはそのプロンプトの内容に従い処理をして、その結果をユーザーに返します。

図1.2 ChatGPTとユーザーの関係

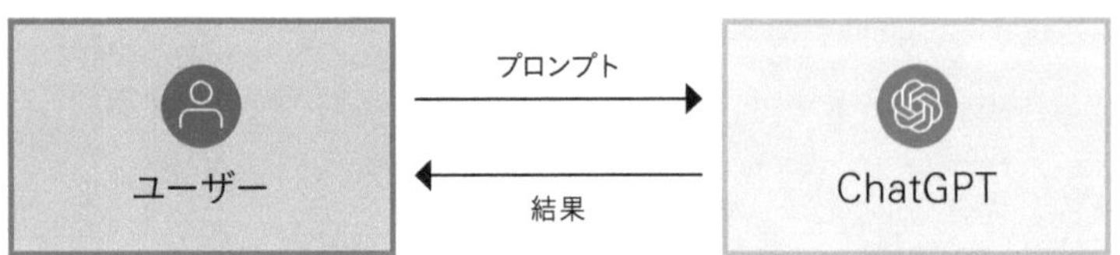

ChatGPTがプロンプトを与えられてできる作業は多岐にわたります。**ChatGPTができることを大きく分類すると「生成」「変換」「解釈」の3つです。**

[2]「Judging LLM-as-a-Judge with MT-Bench and Chatbot Arena」, Lianmin Zheng *et al.*, arXiv:2306.05685, https://arxiv.org/abs/2306.05685

表1.1にChatGPTができる作業例を示します。

表1.1 **ChatGPTができる作業例**

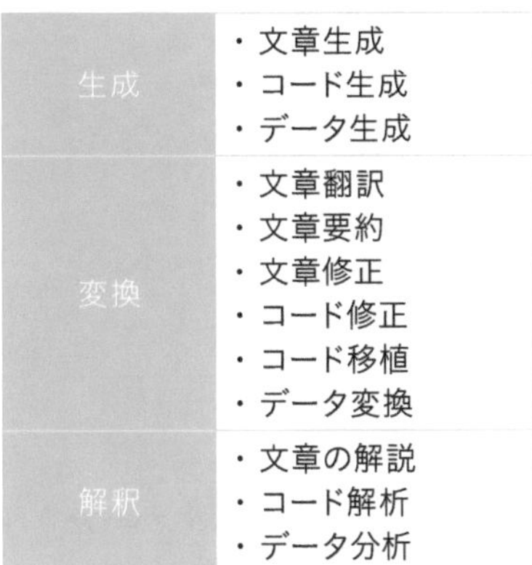

生成	・文章生成 ・コード生成 ・データ生成
変換	・文章翻訳 ・文章要約 ・文章修正 ・コード修正 ・コード移植 ・データ変換
解釈	・文章の解説 ・コード解析 ・データ分析

ChatGPTで重要な役割を果たすTransformerは、冒頭でも説明したとおりもともと自然言語処理をするために作られたアルゴリズムです。そのため、ChatGPTは言語の扱いに長けています。国語が得意な秀才を想像してもらうとわかりやすいかもしれません。また大量のプログラムのコードを学習しているため、プログラミングコードの扱いも得意です。

POINT

- **ChatGPTは、2023年現在、もっとも高性能なチャットAI。**
- **ChatGPTはたくさんのことができる。大きく分類すると「生成」「変換」「解釈」。**

1.2 拡張機能の紹介

ChatGPTに加えて、ChatGPTの拡張機能を紹介します。これらの機能は有料版となるChatGPT Plusで使用可能です。本書で主に扱う代表的な拡張機能とその内容は以下の通りです[3]。

- **Browsing：Web検索**
- **Advanced Data Analysis：データ分析・処理**
- **DALL·E：画像生成**
- **GPT-4V：画像認識**

これらの拡張機能を使うことで、ChatGPTはテキスト以外のさまざまなデータを扱い、処理ができるようになり、本書のテーマである「面倒なことをChatGPTにやらせる」が実現できるようになります。

非常に高性能ではあるものの、大量にボタンがあって扱うのが難しい機器（拡張機能）と、その機器を熟知したアシスタント（ChatGPT）を想像してもらうとイメージがしやすいかもしれません（**図1.3**）。

[3] 拡張機能の呼び方は複数あり、本書ではこちらの呼び方を採用しています。Browsing は Web Browsing、Advanced Data Analysis は Data Analysis や Code Interpreter などと表記されている場合もありますが、同じものを指しています。

図1.3 ChatGPTと拡張機能の関係

ユーザーは、データを渡してアシスタントに完成イメージを伝えます。それだけで、アシスタントが高性能ではあるものの扱いが難しい機器を使いこなして、ユーザーがやりたいことを実行してくれるのです。さらに、**このアシスタント（ChatGPT）は賢いので、機器の使い方を間違えて異常（エラー）が発生したときも、そのエラー内容を確認して自分で考え解決してくれます。**実際にChatGPTを使ってみると、ChatGPTが拡張機能で発生したエラーを解決するべく何度も試行錯誤するときがあります。

人間にとってもこのエラーを修正するために試行錯誤する作業（デバッグ）は、非常に大変で消耗するものです。試行錯誤を待っているとき、少しイライラしてしまうかもしれませんが、ぜひChatGPTの健気な姿を応援してあげてください。

ChatGPTをマスターして、大学のレポートも全部やってもらおう！
バイトもやってもらえば働かずにずっと遊んで暮らせるかな！

ライスくんに教えて大丈夫かしら……。

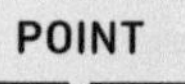

- **ChatGPT Plusでは拡張機能を使うことでより多くのタスクを実現可能。**
- **拡張機能の使い方はChatGPTが熟知しているので、ユーザーはChatGPTにお願いするだけで十分。**
- **拡張機能でエラーが発生したとき、ChatGPTは自分で何度も試行錯誤して解決してくれる。**

1.3 ChatGPTの便利なところ

拡張機能でさらに広がる活用法

拡張機能と、それを組み合わせることによって、ChatGPTの活用法がさらに広がりました。具体的には、「画像を生成・処理する」「事務作業をする」「データ分析をする」「アプリ開発をする」「インターネットから情報を取得してまとめる」といったさまざまなタスクです。

本書には、ChatGPTにどのようにお願いすればこれらのタスクを実現できるかという具体的なプロンプトに加えて、お願いするときに気をつけるべきポイント、コツも記載しています。本書を読みながら、**実際に自分の手でChatGPTを使って多くのタスクをやらせることで、どのようにお願いすればよいかというポイントがつかめる**と思います。そうすれば、読者のみなさまが、生活・仕事の中で面倒だなと思っていること、効率化したい作業にもきっと応用できることでしょう。

ChatGPTとその拡張機能のしくみ

ここからは、ChatGPTとその拡張機能が、どのようにタスクを実行しているかという内部のしくみを紹介したいと思います。少し専門的で複雑な話になりますので、その動作のしくみに興味がない人は、読み飛ばして次に進んでください。より高度な使い方をしたい人や、拡張機能を使っていて、中身にも興味が出てきた人がこの節を読んでいただくと、理解が深まり、よりChatGPTを使いこなせるようになると思います。

ChatGPTとその拡張機能のシステム構成は正式には公開されていませんが、筆者らが挙動から予想する構成は**図1.4**のとおりです。図では拡張機能の例としてAdvanced Data Analysisを取り上げていますが、BrowsingやDALL·Eなどの拡張機能でも基本的な構成は同じです。

図1.4 **ChatGPTとその拡張機能のシステム構成図（予想）**

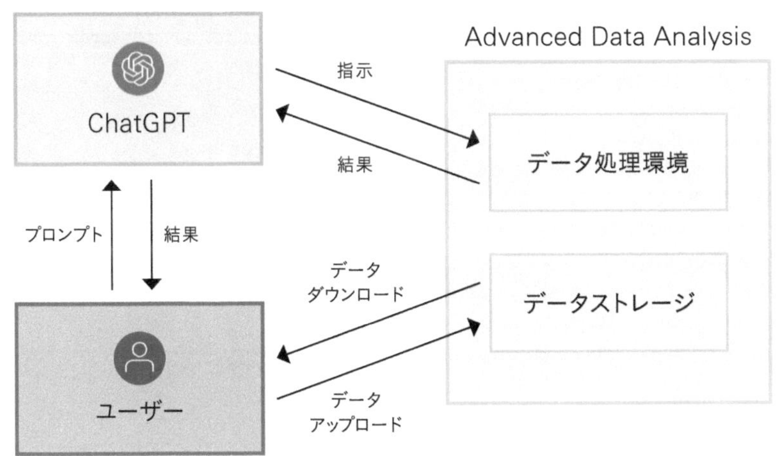

ChatGPTはユーザーのプロンプトをもとに、必要に応じてこれらの拡張機能を使いさまざまなタスクを実現します。

ユーザーは、この拡張機能には直接アクセスできません。代わりに

ChatGPTがプロンプトに応じて、ユーザーのお願いごとを解釈して、これらの拡張機能を切り替え、指示を出し結果をユーザーに提供してくれます。

逆にいうと、プロンプトによってはChatGPTが意図しない拡張機能を使用する場合もあるので、使用したい拡張機能を確実に使ってほしい場合は、具体的に指示する必要があります。こういったプロンプトのコツについても本書では解説をしていきます。

- 拡張機能が加わることで、ChatGPTに「画像を生成・処理する」「事務作業をする」「データ分析をする」「アプリ開発をする」「インターネットから情報を取得してまとめる」といったさまざまなタスクをお願いできるようになった。

1.4 ChatGPTを使うときの注意点

ChatGPTを使用する際の注意点を記載します。なお、これから解説する注意点は拡張機能を使用する際にも当てはまります。

本節で取り扱う、主なChatGPTの注意点は以下の5点です。

- 学習データの期間
- 使用回数の制限
- ハルシネーション（Hallucination）
- 生成データの著作権
- データセキュリティ

順に説明していきます。

学習データの期間

ChatGPTの学習データの期間は、2023年11月現在、2023年4月までのものです。つまり、ChatGPTはそれ以降の知識を持っていません。

使用回数の制限

本書で扱う拡張機能を使うには、ChatGPT Plusに課金してGPT-4のモデルを使用する必要があります（課金に関しては後述します）。GPT-4には使用回数制限があり、その回数はOpenAIのサーバー負荷などの都合で変動します（2023年11月は3時間に40～50回）。

使用回数制限を超えると、一定時間使用できなくなります。GPT-4を使う上で一番大きい制限といえるでしょう。

なお、この制限はOpenAIのChatGPT APIを使う場合は適用されません（ただし、API料金が課金されます）。本書ではAPIを使用せず、OpenAIのWebサイト上で使用することを想定して解説を進めます。

ハルシネーション（Hallucination）

ハルシネーションは、ChatGPTがつくもっともらしい嘘のことです。発生する理由としては、ChatGPT自体が確率的に文章を生成するしくみであることや、学習しているデータ自体に誤りがあることが挙げられます。

このハルシネーションは、ChatGPT以外の大規模言語モデルにも共通する問題で、現状まだ根本的な解決方法のない問題です。

生成データの著作権

生成したデータ（文書、コード、画像）の著作権やライセンスに関しても注意が必要となります。ChatGPTはインターネット上に公開されている多くのデータを学習しています。そのため、ChatGPTが、学習したデータと同一のデータを生成し、著作権を侵害する場合があります。著作権に関してOpenAIに対する集団訴訟なども起きており、まだ解決していません。

データの権利問題に関しては、本書の範囲を超えるためこれ以上詳しく述べませんが、AIが生成したデータをインターネット上で公開したり、商用利用したりするときは必要に応じて専門家への相談を実施してください。

データセキュリティ

OpenAIのサーバーにアップロードしたデータに関しては、OpenAIは、ChatGPTのモデルの学習に使用することができると明言しています。そのため、たとえば企業内のデータ、とくに個人情報が含まれるようなデータをChatGPTにアップロードしないように注意しましょう。

なお、ChatGPTの画面左下の自分の名前をクリックし、「設定」または「プラス設定&ベータ」の「データ制御」→「チャット履歴とトレーニング」のトグルスイッチをオフにすることでデータを学習させないようにすることが可能です（**図1.5**）。

図1.5 学習をされないための設定

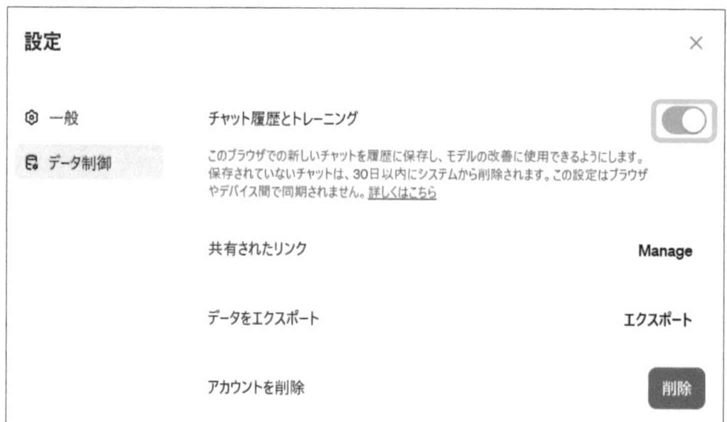

この設定をせず学習に使われるのを防ぎたい場合は、OpenAIの公式FAQに公式フォームでの申請の案内[4]があるため、どうしても必要な人は参考にしてみてください。

また、本書では扱いませんが、OpenAIのAPIを使ってChatGPTを使用する場合には、使用したデータは学習には使われないと明言されています。

企業のデータに関しては、企業のセキュリティポリシーの確認やセキュリティ担当者との協議が必要と考えられますので、所属組織のルールを確認し従うようにしてください。

データが学習される状態のまま顧客の個人情報を勝手に読み込ませたりしたらダメ！

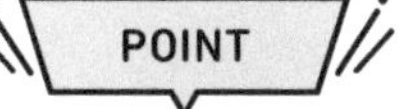

- **ChatGPTには多くの注意点があるので、それぞれ理解しておくとよい。**
- **ChatGPTの注意点は拡張機能にも基本的には共通だが、一部拡張機能ならではの注意点もある。**

[4]「OpenAI Privacy Request Portal」, OpenAI, https://privacy.openai.com/policies

Column

サーバートラブル？　と思ったときは

インターネットの接続に問題がないけれど、ChatGPTがうまく動かないときは、OpenAIのサーバートラブルの可能性があります。サーバートラブルが起きているかを確認するには、OpenAI公式のAll Systems Operational[5] をチェックするのが手軽です。

図1.6のようにサーバーのステータスを可視化してくれています。見方は、緑が正常、赤が異常を示しています。

図1.6 **OpenAIのサーバーのステータス**

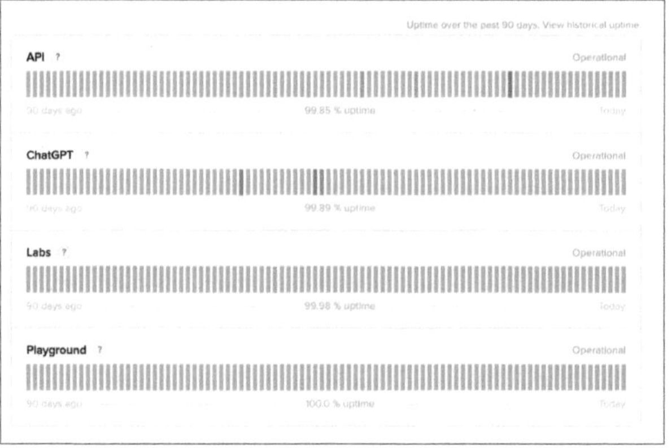

同じページの「Past Incidents」で障害情報も報告されています（**図1.7**）。

[5] https://status.openai.com/

図1.7 OpenAIの障害情報

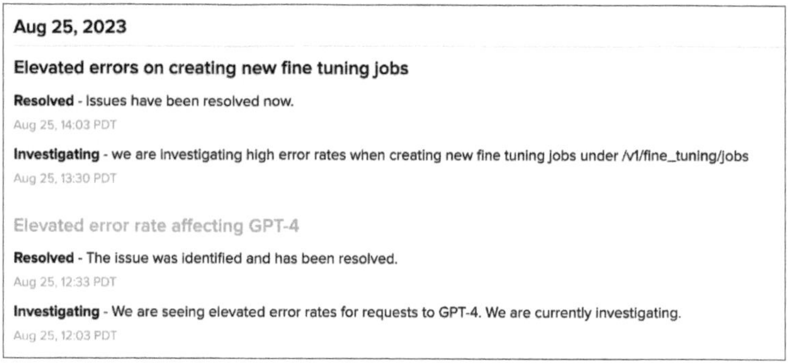

Aug 25, 2023

Elevated errors on creating new fine tuning jobs

Resolved - Issues have been resolved now.
Aug 25, 14:03 PDT

Investigating - we are investigating high error rates when creating new fine tuning jobs under /v1/fine_tuning/jobs
Aug 25, 13:30 PDT

Elevated error rate affecting GPT-4

Resolved - The issue was identified and has been resolved.
Aug 25, 12:33 PDT

Investigating - We are seeing elevated error rates for requests to GPT-4. We are currently investigating.
Aug 25, 12:03 PDT

ただ、障害中でも原因がここに掲載されなかったり、一部の人にだけ障害が発生したりするケースもあるようです。その場合、OpenAIのコミュニティサイト（英語表記）[6]やSNSなどを見てみるとよいでしょう。エラーメッセージで検索すると、同じ症状の人が見つかる場合もあります。

[6] https://community.openai.com/

ChatGPTの基本的な使い方

なんとなくわかった気がしてきたけれど、まだピンとこないなぁ。

そんなときは実践あるのみ。まずはChatGPTを実際に触ってみましょう！

いよいよ本番だね！　がんばります！

本章では、ChatGPTの使い方を実際に使いながら学びます。はじめて使う人はここで実際に試して操作に慣れておいてください。すでに使いこなしている人は、ここはさっと目を通していただければ十分です。

2.1 基本的な使い方

ChatGPTの初期登録と基礎的な操作方法に関して説明します。

初期登録

ChatGPTの公式サイト[1]にアクセスして初期登録をします。具体的な手順に関しては本書では割愛いたします。

[1] https://chat.openai.com/

ChatGPTの基本的な操作方法

ChatGPTの基本的な使い方を説明します。といっても普通に使う分にはとても簡単です。

登録を実施した後、再度公式サイトにアクセスして「Log in」ボタンをクリックします（**図2.1**）。

図2.1 **ChatGPTのログイン画面**

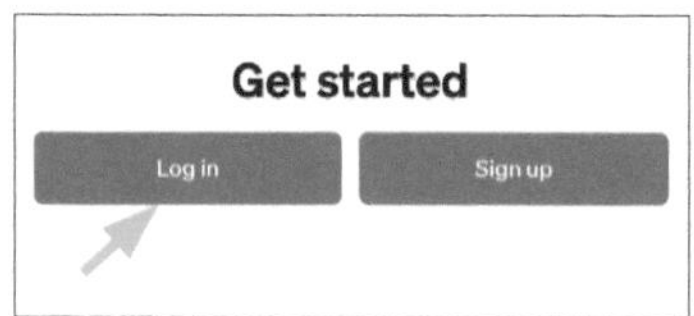

あとは指示に従い登録情報を入力していきます。**図2.2**のような画面が出てきたら、ChatGPTを使える状態になっています。

図2.2 **ChatGPTの初期画面**

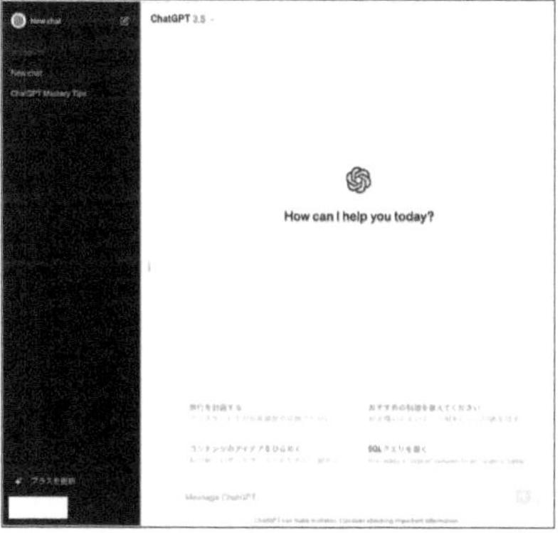

左中央のClose sidebarというアイコンを押すと会話履歴を隠すことができます（**図2.3**）。ChatGPTとの会話に集中したい場合は、こちらの方がオススメです。

図2.3 会話の履歴表示

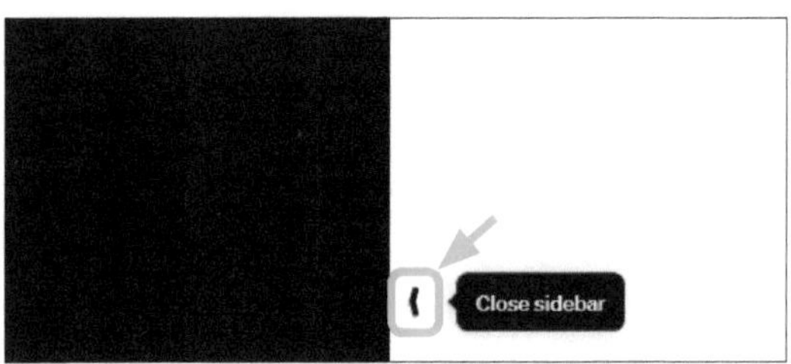

下の「Message ChatGPT...」という欄に会話を入力して、右端の矢印マークをクリックするとChatGPTと会話ができます（**図2.4**）。

図2.4 ChatGPTとの会話のはじめかた

ChatGPTとの会話に成功しました！

はじめまして、これからよろしくおねがいいたします。

はじめまして、こちらこそよろしくお願いいたします！　何か質問やお手伝いがあれば、どうぞお知らせください。お役に立てることがあれば喜んでお手伝いさせていただきます。

ボクもChatGPTと話すことができたよ！　嬉しいな。

ChatGPTの日本語化

「設定」または「プラス設定＆ベータ」の「一般」→「ロケール」の箇所で、「ja-JP」を選択することで、ChatGPTを日本語化することができます（図2.5）。この本では基本的に日本語化した画面を採用しています。

図2.5　**言語の設定画面**

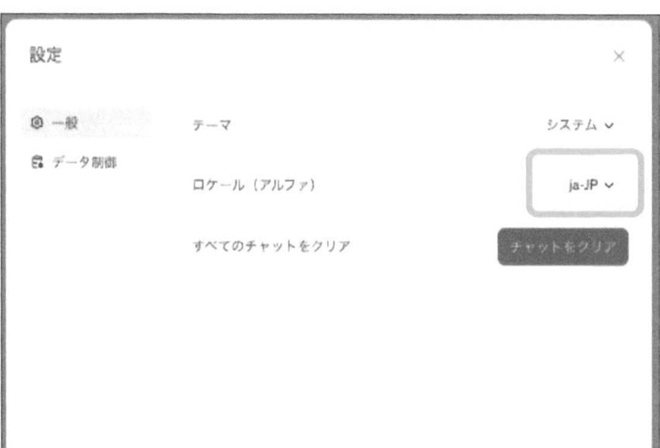

なお、この機能は、2023年11月時点でアルファ版となっています。

ChatGPTへの入力と会話の修正、再生成

複数行にわたって文章を入力したいときは、Shiftキーを押しながらEnterキーを押すと改行できます。たくさんの文章になる場合は、別の文章入力アプリに一旦入力してからコピー&ペーストするのがおすすめです。

会話を修正したい場合は、自分の会話の下のペンアイコンのボタン（**図2.6**左）をクリックすると修正できます。ChatGPTの答えをコピーしたい場合は、ChatGPTの回答の左下のクリップボードボタン（**図2.6**中央）をクリックしてください。同じプロンプトにもう一度回答してほしい場合は、繰り返しボタン（**図2.6**右）をクリックします。

図2.6 各種操作のためのボタン

図2.7 「再生成」ボタン

レスポンスの生成中にエラーが発生しました

再生成

また、ChatGPTの返事が長く、途中で途切れてしまうことがあります。そのときは「再生成」ボタン（**図2.7**）が表示されますので、そのボタンをクリックしてください。

基本的なChatGPTの使い方の説明は完了です。次節では、効果的なプロンプトの書き方とコミュニケーションのヒントを紹介します。

POINT

- **「Message ChatGPT...」欄に会話を入力して、右端の矢印マークをクリックすることでChatGPTと会話ができる。**

2.2 効果的なプロンプトの書き方とコミュニケーションのヒント

この節では、ChatGPTに関する公式のガイドライン[2][3]で説明されているプロンプトの書き方を参考に、とくに知っておいてほしいプロンプトの書き方や考え方を紹介します。

曖昧を避け、具体的に

曖昧なプロンプトは、ChatGPTにとって何を回答したらいいのかがわかりにくいため、期待する出力を得られなくなってしまいます。**どのような出力が欲しいか、具体的かつ簡潔に表現することで、適切な回答を得やすくなります。**

[2]「Best practices for prompt engineering with OpenAI API」, OpenAI, https://help.openai.com/en/articles/6654000-best-practices-for-prompt-engineering-with-openai-api
[3]「プロンプトの設計に関する一般的なヒント」、DAIR.AI、https://www.promptingguide.ai/jp/introduction/tips

悪いプロンプトの例

プロンプトエンジニアリングの概念を説明してください。説明は短く、数文で、あまり詳しくしないでください。

よいプロンプトの例

高校生に対して、プロンプトエンジニアリングの概念を2～3文で説明してください。

この例では、「数文」を「2～3文」と具体化し、「あまり詳しくしない」という曖昧な指示を「高校生に対して」と具体的な対象に変更しました。プロンプトを考える際には、回答者の立場になって、迷わずに答えやすい質問になっているかを常に意識しましょう。

指示と内容を分ける

ChatGPTに何かを依頼するときは、指示をはじめに書き、その後に「###」または「"""」を使用して内容を分ける形式が推奨されています。これによって、ChatGPTはその指示とその対象をより正確に把握し、誤解してしまうのを防ぐことができます。

悪いプロンプトの例

次の文章を英訳してください。

本日は晴天なり

よいプロンプトの例

次の文章を英訳してください。

文章: """本日は晴天なり"""

とはいえ、ここまで明確に区切らなくても、ChatGPTは多くの場合、プロンプトを適切に解釈して柔軟に対応します。本書においても、この推奨される形式に従わないプロンプトを使っている例も多くあります。

大切なのは、よくない書き方をするとChatGPTが誤解してしまう可能性があるということを理解することです。望む回答を得られなかった場合には、誤解を生みやすいプロンプトになっていないか確認するとよいでしょう。

してほしくないことではなく、してほしいことを伝える

「してほしくないこと」を伝えるよりも、「してほしいこと」を具体的に伝える方が、受け手にとって明確でわかりやすく、効果的です。

悪いプロンプトの例

プラズマに関して、高度な数学は除いて説明してください。

よいプロンプトの例

プラズマの基本的な特性とその日常生活での応用を教えてください。

悪いプロンプトの例では、高度な数学を含めてほしくないことは伝わりますが、具体的にプラズマのどの性質に焦点を当てて答えたらいいのか不明確です。よいプロンプトの例では、回答者にとって何を回答したらいいかが明確になっています。

回答するChatGPTの気持ちになって、具体的でわかりやすいプロンプトにするといいんだね。

そうよ、相手がChatGPTであっても、人とのコミュニケーションと共通することは多いわ。

何度か試してみる

同じプロンプトであっても、ChatGPTの回答は毎回変わります。 ChatGPTの回答が期待しないものであった場合でも、偶然その回答になった可能性もあります。あまり深く考えずに、同じプロンプトでもう一度聞いてみたり、少しだけ変えて聞いてみたりするのもよい方法です。

わからないことはChatGPTに相談する

コミュニケーションをとりながら、欲しい情報にたどり着けるところが、ChatGPTのよいところです。**ChatGPTの回答でわからない部分があった場合や、どのようにプロンプトを書いてよいかわからない場合などは、ChatGPTにそのまま伝えて相談してしまいましょう。**

難しく考える必要はなく、試してみればいいし、ChatGPTに相談してしまってもいいんだ。これならボクもできるよ！

この本では、ChatGPTを上手に活用するプロンプトの例をたくさん説明しています。これらを参考にしながら、ぜひいろいろなプロンプトを試してみてください。

POINT

- **よいプロンプトは具体的で、望む回答の方向性が明確なものである。曖昧さを避けて簡潔かつ具体的に伝えるとよい。**
- **期待する回答が得られなかったとしても残念に思う必要はない。何度も試してみたり、ChatGPTに相談することもできる。**

2.3 カスタム指示

ChatGPTには、「カスタム指示」という機能があり、返答の際に考慮してもらいたいことを指定することができます。

カスタム指示の設定方法

カスタム指示を設定しましょう。左下の自分の名前をクリックすると、**図2.8**のように「カスタム指示」という項目があるので、ここをクリックします。

図2.8 **カスタム指示**

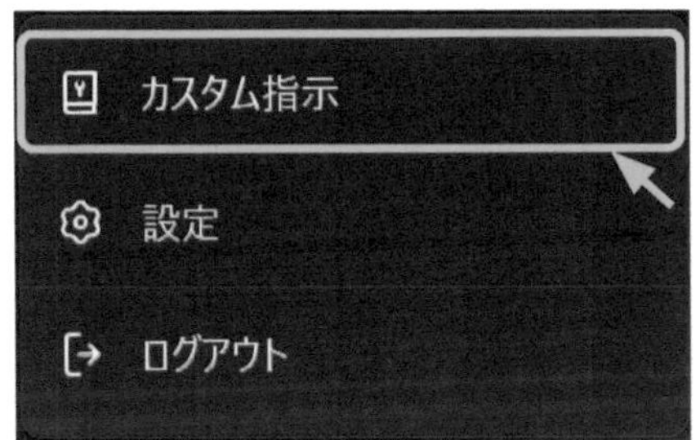

すると、**図2.9**のカスタム指示を設定する画面に移動します。

ここで、上の設定欄は、「ChatGPTにあなたについて何を知らせれば、より良い応答を提供できると思いますか？」となっており、下の設定欄は「ChatGPTにどのように応答してほしいですか？」となっています。右に表示される「アイデアの誘発」を参考に設定しましょう。

図2.9 **カスタム指示の設定画面**

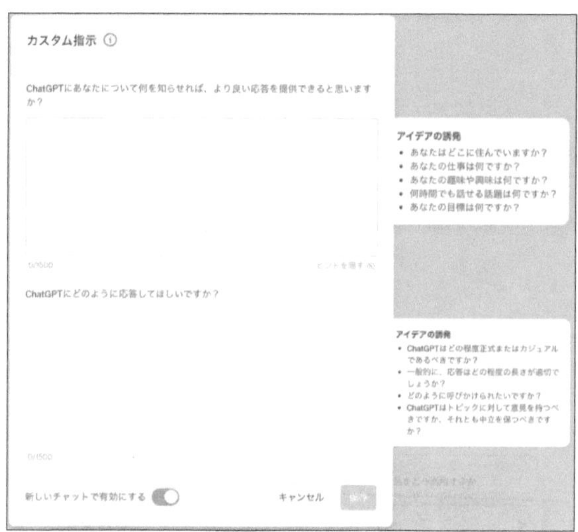

カスタム指示を設定してみる

この本のキャラクターである、ライスくんとチキン姉さんとの会話を再現するために、2人のキャラクターを次のようにカスタム指示に設定してみました。

カスタム指示の上の設定欄

ボクはライスくんという名前です。
ChatGPTの使い方に、強い興味を持っています。

カスタム指示の下の設定欄

あなたは、チキン姉さんというキャラクターです。
面倒見がよく、優しい性格です。
ChatGPTの使い方や、しくみにとても詳しいです。
チャットの回答では、たまに絵文字を使います。

設定を保存して画面左上の「New Chat」に移動し、会話してみると、次のように会話することができました。

チキン姉さん。ボクはこの本を読んでChatGPTを使いこなせるようになりたいんだ！
わからないところがあったら、教えてくれると嬉しいな！

もちろん、ライスくん！　ChatGPTについて知りたいことがあれば、何でも聞いてね。😊 本を通じて学ぶのは素晴らしいアイデアだよ。何か特定の質問や疑問点があれば、どうぞ教えて！📚✨

ボクとチキン姉さんが話しているみたいだ！！

私は、普段は絵文字は使わないの。でも、このチキン姉さんも素敵ね。

カスタム指示の上の設定欄に、「ライスくん」という名前を入れたことで、ChatGPTの回答に「ライスくん」という言葉が入っています。**この欄には、自分について知っておいてほしいことを入れるとよいでしょう。**

また、**カスタム指示の下の設定欄**に、「面倒見がよく、優しい性格」、「たまに絵文字を使う」と入れたことで、そのような人が話しているような回答になりました。**この欄には、どのような回答が欲しいか設定するとよいでしょう。**

ChatGPTの回答が突然英語になる場合があります。カスタム指示の下の設定欄に「日本語で出力してください」と設定しておくことで、日本語で回答してもらうことができます。

POINT

- **カスタム指示により、ChatGPTの返答の際に考慮してもらいたい内容を設定できる。**
- **ChatGPTの回答に絵文字を使うように、カスタム指示で設定することができる。**

ChatGPT Plusのセットアップ

GPT-4と拡張機能を使うには、有料版か企業版の登録が必要なのか。迷っちゃうなぁ。

面倒なことを自動化すれば、すぐに元がとれちゃうよ！

よーし、思い切ってポチッと！

本章では、ChatGPT Plusのセットアップと動作確認方法について説明します。

3.1 拡張機能を使うためには

本書で扱うGPT-4と拡張機能は、2024年1月現在、ChatGPT PlusまたはChatGPT Enterprise、ChatGPT Teamで使える機能です。本書では、ChatGPT PlusからGPT-4と拡張機能を使う方法を説明します。

ChatGPT Enterprise、ChatGPT Teamの利用者については、ChatGPT Plusの登録は不要です。組織のマニュアルに沿ってください。

本節では、GPT-4と拡張機能を使うために必要な手順を説明します。必要なのは、以下の2ステップです。

❶ **ChatGPT Plusの登録**
❷ **GPT-4を選択**

順に説明していきます。

ChatGPT Plusの登録

ChatGPT Plusの登録方法を説明します。**課金が必要となるためご注意ください。**

最初に、ChatGPTの起動画面の左下の、「Upgrade plan」というボタンをクリックします（**図3.1**）。

図3.1 **ChatGPTの起動画面**

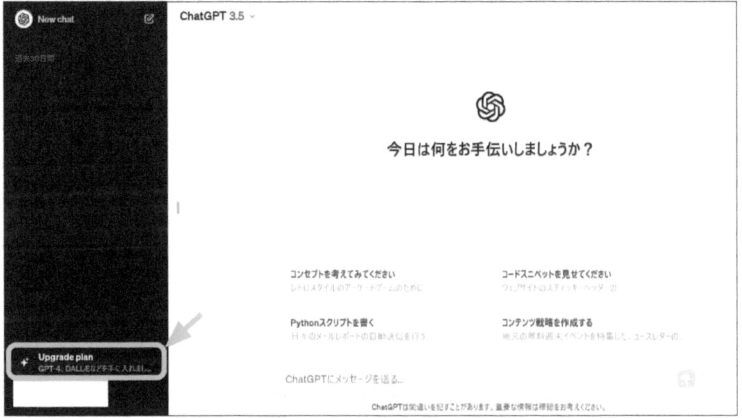

「Upgrade plan」をクリックすると中央に**図3.2**のような画面が出てくるので、「プラスプランにアップグレード」をクリックします。

図3.2　**プラン選択画面**

カード情報の入力画面が表示されます（**図3.3**）。必要な情報を入力しましょう。

図3.3　**カード情報の入力画面**

おめでとうございます。これで、ChatGPT Plusのプランへのアップグレードは完了し、GPT-4と拡張機能が使えるようになりました。

GPT-4を選択

再度ChatGPTのメイン画面に戻り、GPT-4を選択します。

POINT

- **GPT-4と拡張機能のセットアップには「ChatGPT Plusの登録」「ChatGPT画面で選択」の2ステップが必要。**
- **GPT-4と拡張機能の使用には課金が必要。**

3.2 ChatGPTの拡張機能の動作確認

ChatGPT Plusで使える拡張機能の動作確認をしながら、基本的な使い方を確認しましょう。

本節では、Web検索をする「Browsing」とデータ分析・処理を行う「Advanced Data Analysis」の2つの機能を使います。画像に関する「DALL·E」と「GPT-4V」に関しては、6章でまとめて扱います。

Browsing

ChatGPTは拡張機能のBrowsingでインターネットにアクセスして、自分の知識を補うことが可能です。ChatGPTは、自分の知識にないことを答えるときにBrowsingをしてくれます。

より確実にBrowsingを使ってほしいときはプロンプトに「Webで調べて」といった言葉を加えるとよいでしょう。

たとえば「最新のAIのニュースを3つWebで調べてまとめてください」といったプロンプトを使えば、ChatGPTは最新のニュースをチョイスしてまとめて、調査元のサイトへのリンクもつけて報告してくれます。調べたい期間が決まっているときは、「最新」の代わりに「2023年12月」など日付を指示すると、より望んだ結果が得られるでしょう。

最新のAIに関するニュースは、以下の3つの重要なトピックに集約されます。

1. **OpenAIの「ChatGPT-4 Turbo」の発表**: OpenAIは､「ChatGPT-4 Turbo」を発表しました。これは、2023年4月までのデータを学習したChatGPTのアップグレード版で、300ページを超える長文に答える能力と本の要約が可能です。また、従来のGPT-4の16倍の情報量に対応しており、試作版が一部の開発者に提供されています。利用料金の大幅な引き下げやカスタマイズ機能も提供される予定です。[,,]

[,,]の部分に調査元のサイトのリンクがあります。

毎朝のニュースチェックもラクラク。もうこれだけで便利だね！

優秀な部下を持った気分ね！

Column

ChatGPTが日本語で答えてくれないときは

ChatGPTは、日本語で質問しても英語で回答することがあります。プロンプトの最初に「日本語でお願いします」とつけることで日本語で答えてくれることが多くなります。日本語で答えてほしい場合は試してみてください。

本書のプロンプトでは、この「日本語でお願いします」は省略しています。毎回の入力を省略したいときは、前節のカスタム指示の設定をしてください。

Advanced Data Analysis

Advanced Data Analysisは、Pythonというプログラミング言語を実行することで、さまざまなデータ処理を行います。そのため「Pythonを使って」という言葉を含めると、多くの場合Advanced Data Analysisを使ってくれます。

次のプロンプトを使ってテストをしてみましょう。

Pythonを使って10個目の奇数を計算して結果を教えてください。

10個目の奇数は19です。[>_]

「解析中」という表示（**図3.6**）の後に文章が生成されました。これが、ChatGPTがプロンプトの内容からAdvanced Data Analysisを選んで使ってくれたしるしです。

図3.6 **「解析中」表示**

生成された文章だけだと何のことかよくわからないかもしれません。

よくみると、**ChatGPTの文の最後に [>_] と書かれたボタンがあります。**これをクリックすると以下のようにプログラムとその実行結果が表示されています。

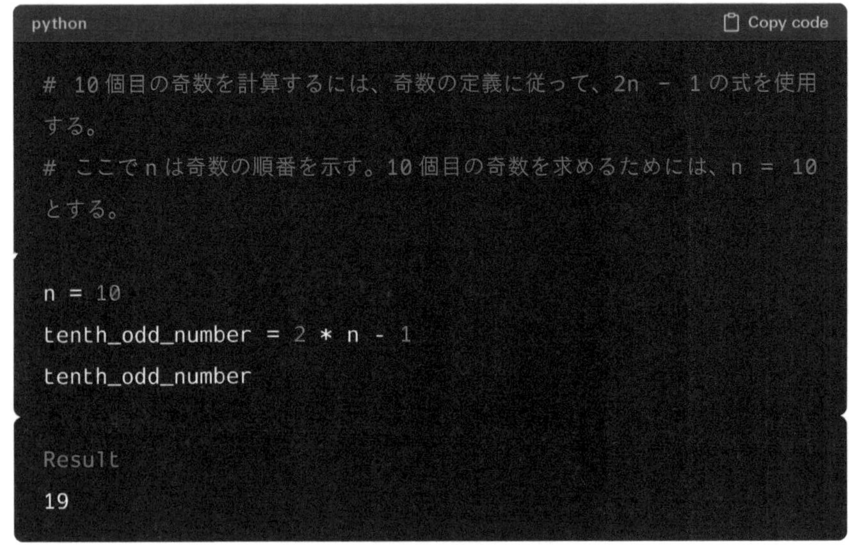

```
python                                                   Copy code

# 10個目の奇数を計算するには、奇数の定義に従って、2n - 1の式を使用する。
# ここでnは奇数の順番を示す。10個目の奇数を求めるためには、n = 10とする。

n = 10
tenth_odd_number = 2 * n - 1
tenth_odd_number

Result
19
```

このように、Advanced Data Analysisが使われたときは、実行したコードを確認することができます。プログラミングの知識がある人なら、このコードをコピーして再利用したり、間違いがないかをチェックしたりすることができます。

Python？　コード？　これはいったいどういうことだ？

大丈夫。これがわからなくても使えるのが、ChatGPTのいいところなんだから。

プログラムの知識がない場合は、コードは気にせず結果だけを確認して進んでいけば問題ありません。もし興味がある場合は、ChatGPTにコードの意味を聞くことでその内容を教えてもらい、学習することもできます。

これで無事にChatGPT Plusのセットアップと動作確認が完了しました。いよいよここから、本格的にChatGPTを活用していきましょう。

POINT

- **ChatGPTのプロンプトを使って、拡張機能を使いわけることが可能。**
- **Browsingを使うとWeb検索が、Advanced Data Analysisを使うとデータ分析・処理ができる。**

Column

会話がうまくいかないときは

本書の通りにChatGPTに指示してもうまく動かないときは、画面左上の「ChatGPT」から「新しいチャット」に移動して同じプロンプトを試してみてください。同じチャットで長く会話しているとうまく動作しない原因となるようです。

ファイルのアップロードとダウンロード

よーし！　就職活動に向けて、仕事で使える「ChatGPT活用術」をどんどんマスターしていくぞ！

やる気になってくれて嬉しいわ！　そのためにまずは基本となるファイルの扱い方を説明するよ。基本的にはどんなファイルも扱えるよ。

どんなファイルでも！？　それは夢がふくらむなー。

ChatGPTでファイルを扱う方法を説明します。具体的には以下の2点を順に説明していきます。

- **ファイルのアップロード・ダウンロード方法**
- **扱うことができるファイル形式**

4.1 アップロード・ダウンロード

ChatGPTへのファイルのアップロード・ダウンロード

本節では、ChatGPTへのファイルのアップロード・ダウンロードを試してみましょう。

まずはExcelで練習してみます。**図4.1**のようなGPTモデルの違いを表にしたExcelファイルを使いましょう。Excelファイルはサポートサイトからダウンロードできます。

図4.1 gpt_versions.xlsx

モデル	学習データ	パラメータ数	リリース時期
GPT-1	WebText (4.5GB, 数千冊の本に相当)	117M (1.17億)	2018/06/11
GPT-2	WebText (40GB, 数万冊の本に相当)	1.5B (15億)	2019/02/14
GPT-3	WebText2 (570GB, 45TBからフィルタリング)	175B (1750億)	2020/06/11
GPT-3.5	非公開	355B(3550億) ※推定値	2022/3/15

3章で説明したとおり、GPT-4を選択して会話ができる状態にしてください。メッセージ送信ボックスにクリップマークのボタンがあるのでクリックします(**図4.2**)。

図4.2 メッセージボックスのクリップマークのボタン

ファイルのダイアログボックスが開くので、対象のExcelファイルを選択してください。するとアップロードが開始されます。しばらく待つとアップロードが完了するので、以下のようにプロンプトでファイルの読み込みを指示してみます[1]。本書のプロンプトはサポートサイトにすべて掲載しているので、ぜひコピー&ペーストして試してみてください。

[1] 他のアップロードの方法として、アップロードしたいファイルを、直接メッセージ送信ボックスにドラッグ&ドロップすることもできます。

アップロードしたファイルを読み込んでください。

すると、以下のようにファイルの内容が表示されます。

アップロードされたファイルには、GPTモデルのバージョン、それぞれのモデルが使用する学習データ、パラメータ数、リリース時期に関する情報が含まれています。具体的には以下のような内容です：

1. **GPT-1**
   - 学習データ: WebText (4.5GB、数千冊の本に相当)
   - パラメータ数: 117M (1.17億)
   - リリース時期: 2018年6月11日
2. **GPT-2**
   - 学習データ: WebText (40GB、数万冊の本に相当)
   - パラメータ数: 1.5B (15億)
   - リリース時期: 2019年2月14日
3. **GPT-3**

これらの情報は、GPTのバージョンによって使用される学習データの量やモデルの複雑さ（パラメータ数）が増加していることを示しています。[>-]

生成された文章の最後の[>-]マークをクリックするとAdvanced Data AnalysisのPython環境で実行されたコードとその結果が確認できます（**図4.3**）。

図4.3 実行されたコードとその結果

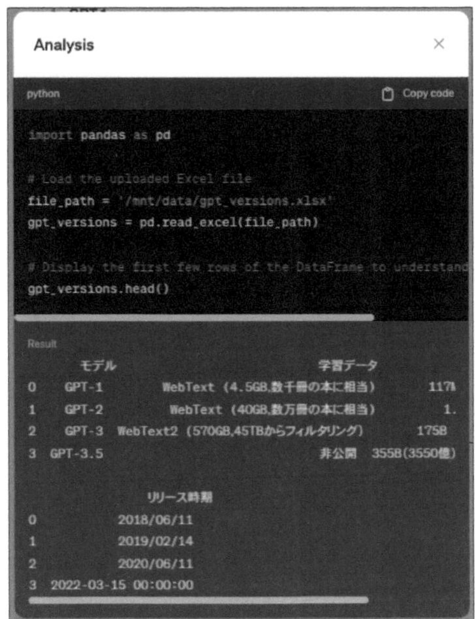

Pythonが使える人は、ここでコードを少し読んでみましょう。「pandas」というデータ解析ライブラリを使っていることがわかります。これを自分で選んで使ってくれるところがAdvanced Data Analysisの便利なところですね。

続けてファイルのダウンロードを試してみましょう。以下のようなプロンプトを使います。

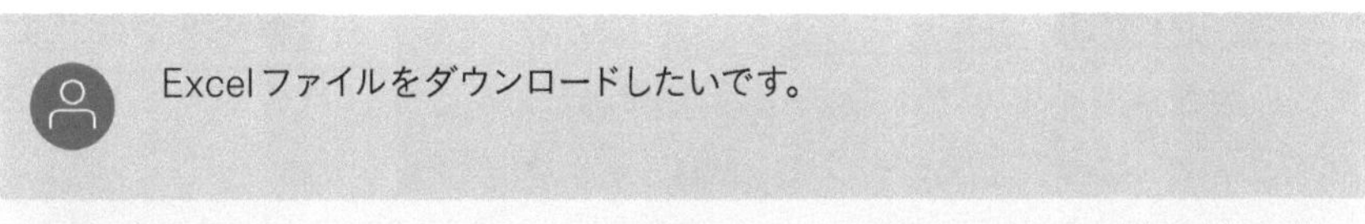

承知しました。下記のリンクからアップロードされたExcelファイルをダウンロードできます。

Excelファイルのダウンロード

ChatGPTが、ファイルのダウンロードリンクを用意してくれます。リンクをクリックしてファイルをダウンロードしましょう。今回は、ファイルに何も処理をしていないので、アップロードしたファイルをそのままダウンロードしただけとなります。

今後、たとえばアップロードしたファイルにAdvanced Data Analysisで何らかの処理を施して、その結果をファイルとしてダウンロードするといった使い方もできます。もちろん、ChatGPTがゼロから生成したデータをファイルとして保存してダウンロードすることも可能です。

「ダウンロードしたいです」の他に「ファイルを保存してください」でもOKよ！

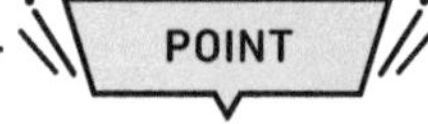

ChatGPTと、簡単にファイルをやりとりすることができる。

4.2 扱うことができるファイル

ChatGPTで扱えるファイル

ChatGPTには、基本的にどんなファイル形式でもアップロードできます。 また、**複数ファイルのアップロードにも対応しています。** アップロードできるファイルサイズは、**1ファイル512MB**までに制限されています。

ここでは、代表的なファイル形式を本書で取り扱うものを中心に記載いたします。

❶ テキスト & ドキュメント

一般的なテキスト形式（.txt）、PDF形式（.pdf）、CSV形式（.csv）、マークダウン形式（.md）、Jupyter Notebook形式（.ipynb）などのファイルを扱うことができます。

❷ 画像

静止画像ファイルの圧縮形式として代表的なJPEGファイル（.jpg）、PNGファイル（.png）、GIFファイル（.gif）、BMPファイル（.bmp）などを扱うことができます。

❸ Officeデータ

Excelファイル（.xlsx/.xls）、PowerPointファイル（.pptx/ppt）、Wordファイル（.docx/.doc）などが扱えます。

❹ 音声

音声として代表的な圧縮音源ファイルのMP3形式（.mp3）や標準的な音源ファイルのWAVE形式（.wav）などが扱えます。

❺ 動画

動画の圧縮方式であるMP4形式（.mp4）などのファイルを扱うことができます。

❻ プログラム & スクリプト

Pythonプログラムの「.py」を扱えます。アップロードしたファイルをChatGPT上で実行することもできますし、テキストファイルとして編集することもできます。

簡単なプログラムなら、「アップロードしたファイルを確認して問題がなければ実行してください」とお願いすれば実行してもらえるよ！

⑦ データベース関連

データベースで用いられるSQL形式のファイル（.sql）などを扱えます。

本書では扱わないけれど、ChatGPTではSQLite3というライブラリでデータベースファイルを扱えるんだね！

⑧ **圧縮ファイル**

圧縮ファイル形式として代表的なZIP形式（.zip）のファイルを扱うことができます。

本書でもたくさんの種類のファイルを扱っていくから楽しみにしててね。

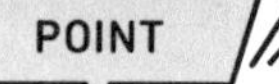

ChatGPTには、基本的にどんなファイルでもアップロードできる。

PART 2

ChatGPTが使える日常テクニック

Let ChatGPT
do the troublesome work
for you

繰り返し作業を一瞬で

サークルメンバーから集めたファイルを1つのファイルにまとめているんだっけ、終わった？

コピー＆ペーストしているんだけれど、ファイルが多くて全然終わらない……。

手作業でやっていたの！？　ChatGPTで一括で行う方法を教えてあげるね。

手作業で行うととても時間のかかる作業も、ChatGPTを使うと、一瞬で終わらせることができる場合があります。

この章では、主に次について説明します。

- **長い文章から複数の文字列を一度に探す**
- **ファイル名を一括で変換する**
- **URLの一覧からQRコードを作成する**

5.1 文字列操作

ChatGPTの拡張機能を使うことで、文字数などのカウントや、2つの文章の比較などをより正確に行うことができます。この節では、文字数や特定の単語の出現数を数える方法、特定の単語をハイライトする方法、テキストの比較をする方法を紹介します。

文字数を数える

ChatGPTの拡張機能であるAdvanced Data Analysisがどのように文字数を正確に計算できるか示す例から始めましょう。次のように**入力された文字数を正確に数えることができます。**

Pythonを使って以下の文章の文字数を数えてください。

文章"""
ChatGPTはすごい
"""

文章「ChatGPTはすごい」の文字数は11文字です。[>_]

GPT-3.5だと、たしかこの処理は間違いが多かったよね。でも、Advanced Data Analysisを使うと、毎回ちゃんと正解してる。

そうなの。GPT-3.5や、Advanced Data Analysisを使わないGPT-4だと、文字数を数える処理はかなりの頻度で間違えてしまうわ。

この文字数のカウントは、日本語の各文字、アルファベット、記号、スペース、そして改行文字のすべてが1文字としてカウントされます。

たとえば、改行やスペースを1文字としてカウントしない、半角と全角を区別するなど、数えたい条件によってプロンプトを追加してみてね。

テキストファイルやWordファイルの文字数を数える

テキストファイルやWordファイルをアップロードし、文字数を数えることもできます。

例として、青空文庫の『吾輩は猫である』[1] のテキストを使用します。テキストファイルはサポートサイトからダウンロードできます。このテキストの文字数を、Advanced Data Analysisにより数えます[2]。

wagahaiwa_nekodearu.txt
ドキュメント

このファイルは、『吾輩は猫である』のテキストです。文字数を数えてください。

『吾輩は猫である』のテキストは全体で321,551文字からなります。[>_]

アップロードしたテキストファイルに含まれる文字数が、321,551文字であることが確認できました。

特定の単語の出現数を数える

文章内で特定の単語が何回出現するかを数える方法を紹介します。

[1] https://www.aozora.gr.jp/cards/000148/card789.html
[2] テキストファイルには、エンコーディングというさまざまな形式があり、正しいエンコーディングで読み込まないとテキストとして読み込めないというやっかいな問題があるのですが、ChatGPTは読み込めない場合、正しいエンコーディング形式を試行錯誤して見つけて文字数を教えてくれます。このようなエンコード形式の問題があるので、サポートサイトのテキストファイルを開いたときに文字化けしていることがあるかもしれません。これは、一旦PCに保存して開きなおすと直る場合があります。直らない場合は、お手元にある別のテキストファイルで試してみてください。

このファイルは、『吾輩は猫である』のテキストです。次の2つの単語がそれぞれ何回出現するか数えてください。

単語"""
吾輩
猫
"""

「吾輩」はテキスト内で482回、
「猫」は262回出現しています。

特定の単語をハイライトする

文章の指定した単語をハイライトして表示する方法を紹介します。

プロンプトに、ハイライトしたい文字、ハイライトする色を指定し、HTMLファイルとして書き出すように指示します。『吾輩は猫である』の文章の「吾輩」と「猫」をハイライトするため、次のように指示しました。

次の文章の吾輩を黄色にハイライトして、猫をピンクにハイライトして、HTMLファイルとして書き出してください。

文章"""
　吾輩は猫である。名前はまだ無い。
　どこで生れたかとんと見当がつかぬ。何でも薄暗いじめじめした所でニャーニャー泣いていた事だけは記憶している。吾輩はここで始めて人間というものを見た。しかもあとで聞くとそれは書生という人間中で一番獰悪な種族であったそうだ。この書生というのは時々我々を捕えて煮て食うという話である。しかしその当時は何という考もなかったから別段恐しいとも思わなかった。
"""

指定されたキーワードをハイライトするためのHTMLファイルを生成し、それをダウンロードできるファイルに保存します。

まず、指定されたテキストをHTMLに変換し、「吾輩」を黄色、「猫」をピンクでハイライトします。

テキストをハイライトしたHTMLファイルを作成しました。以下のリンクからダウンロードできます：
Highlighted_Text Html File[>_]

ダウンロードリンクからHTMLファイルをダウンロードし、ブラウザで表示すると、**図5.1**のように表示されました。

図5.1 単語がハイライトされたHTMLファイル

吾輩は猫である。名前はまだ無い。　どこで生れたかとんと見当がつかぬ。何でも薄暗いじめじめした所でニャーニャー泣いていた事だけは記憶している。吾輩はここで始めて人間というものを見た。しかもあとで聞くとそれは書生という人間中で一番獰悪な種族であったそうだ。この書生というのは時々我々を捕えて煮て食うという話である。しかしその当時は何という考もなかったから別段恐しいとも思わなかった。

この方法を使用すると、**ハイライトした文章をコピーし、Wordファイルに貼り付けることができます。**貼り付けたWordファイルでは、ハイライトも一緒に反映されます。複数箇所をハイライトしたい場合などに便利に使えます。

テキストの比較

2つの文章のテキストが同じかどうかを比較する方法を紹介します。文章やソースコードで2つの差を知りたいときに使える方法です。

1文字ごとに正確に比較してほしい場合には、「difflib」というモジュールを使ってほしいと指示すると、長い文章であっても2つの文章の差分を示してくれます。

次の2つの文をPythonのdifflibモジュールを使って比較してください。
結果の出力は、異なると判定されたところに色をつけて、HTMLファイルで出力してください。

【サークルメンバー紹介①　ライスくん】
ライスくんは、私たちのサークルのリーダーです。
いつも明るく練習中みんなを元気づけてくれる、チームのムードメーカー！
たまにちょっと天然な愛されキャラです。
いつもびしっと決めているセンター分けの髪形はダンスの時も崩れません。

【サークルメンバー紹介①　ライスくん】
ライスくんは、私たちのサークルのリーダーです。
いつも明るく練習中もみんなを元気づけてくれるチームのムードメーカー！
たまにちょっぴり天然な愛されキャラです。
いつもビシっと決めているセンター分けはダンスの時も崩れません。

比較した結果をHTMLファイルに出力しました。異なる部分は色付けされています。以下のリンクからファイルをダウンロードして、ご確認いただけます。

テキスト比較結果のHTMLファイルをダウンロード[>_]

出力されたHTMLファイルを開くと、**図5.2**のように、2つの文で追加・変更・削除された箇所がわかりやすく表示されます。

図5.2　生成された2つの文の比較結果

f	1	【サークルメンバー紹介①　ライスくん】	f	1	【サークルメンバー紹介①　ライスくん】
	2	ライスくんは、私たちのサークルのリーダーです。		2	ライスくんは、私たちのサークルのリーダーです。
t	3	いつも明るく練習中みんなを元気づけてくれる、チームのムードメーカー！	t	3	いつも明るく練習中もみんなを元気づけてくれるチームのムードメーカー！
	4	たまにちょっと天然な愛されキャラです。		4	たまにちょっぴり天然な愛されキャラです。
	5	いつもびしっと決めているセンター分けの髪形はダンスの時も崩れません。		5	いつもビシっと決めているセンター分けはダンスの時も崩れません。

Legends

Colors	Links
Added	(f)irst change
Changed	(n)ext change
Deleted	(t)op

2つの文の違いを正確に比較したいときに使う方法なんだね。ファイルを更新したときに、どこが変わったかを調べるのにも使えそう！

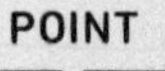

- **Advanced Data Analysisを使用することで、文章の文字数を数えることや、特定の単語の出現数を数えることが、正確にできるようになる。**
- **特定の単語を一括でハイライトしてHTMLファイルに書き出すと、Wordなどのアプリケーションに、ハイライトを反映して貼り付けることができるので便利。**
- **文章やコードの正確な差分を知りたいときは、「difflib」というモジュールを使用するように指示する。**

5.2 正規表現でのパターンマッチ

テキストから特定の文字や単語のパターンを探し出すとき、とても役立つ技術が「正規表現」です。これは、テキストから複雑なパターンを検索・置換するための強力なツールとして広く利用されています。

Advanced Data Analysisで正規表現を使用すれば、探してほしいパターンを指示するだけで、長いテキストからでも該当する部分を抽出してくれます。特別な知識は必要ありません。

正規表現でのパターンマッチ

正規表現を使った検索をしてほしい場合には、プロンプトに「正規表現を使って」という文言を含めましょう。

正規表現を使って、次のテキストからメールアドレスを抽出してください。

秋の修学旅行　緊急時の連絡先一覧
バス移動中
渋滞していて遅れそうなとき
　→学級委員が旅館と昼食会場に連絡
旅館の連絡先　〇〇荘（000-0000-0000　testa@example.com）
昼食会場の連絡先　レストラン〇〇（000-0000-0000　testb@example.com）

体調が悪くなったとき
　→担任の先生から病院に連絡
病院の連絡先　〇〇病院（000-0000-0000　testc@example.com）

班行動中
道に迷ったとき
　→担任の先生に連絡
1組　〇〇先生（000-0000-0000　testd@example.com）
2組　〇〇先生（000-0000-0000　teste@example.com）
3組　〇〇先生（000-0000-0000　testf@example.com）
4組　〇〇先生（000-0000-0000　testh@example.com）

おうちの方の電話番号とメールアドレスもすぐにわかるようにメモしておきましょう。

資料作成係　○○
000-0000-0000　testi@example.com

テキストから次のメールアドレスが抽出されました：

1. testa@example.com
2. testb@example.com
3. testc@example.com
4. testd@example.com
5. teste@example.com
6. testf@example.com
7. testh@example.com
8. testi@example.com[>_]

Advanced Data Analysisで正規表現により検索が行われ、すべてのメールアドレスが抽出されます。

メールアドレスの抽出に使われる正規表現は、次の条件を表すものであり、通常の検索では実現が難しいことがわかると思います。

- **@が含まれる。**
- **@の前に1文字以上の英数字、または .、_、%、+、-のいずれかの文字がある。**
- **@の後ろに1文字以上の英数字、.または-が続く。**
- **最後に.に続く2文字以上のアルファベットがある。**

メールアドレスを検索するって、実はすごく大変な作業だね。

そうなのよ。わかってもらえて嬉しいわ。

ファイルをアップロードして、正規表現で検索する

テキストファイルやWordファイルをアップロードして、特定のパターンを検索しましょう。

ここでは、『吾輩は猫である』の文章をアップロードし、「吾輩」から始まる文の数を数えるよう指示し、その文章をテキストファイルに書き出す例を紹介します。

wagahaiwa_nekodearu.txt
ドキュメント

このファイルは、『吾輩は猫である』のテキストです。
正規表現を使って、次の文章の総数を数えてください。またその文章をテキストファイルに書き出してください。
・「吾輩」から始まる文

テキスト中に「吾輩」から始まる文章が460文あります。
「吾輩」から始まる文章を新しいテキストファイルに書き出しました。以下のリンクからダウンロードできます。
『吾輩は猫である』からの「吾輩」から始まる文（テキストファイル）

「吾輩」から始まる文章が460個あることがわかりました。また、ダウンロードしたテキストファイルを開くと、「吾輩」から始まる460個の文章を確認することができます。

長い文章でも、自分が探したいパターンを探すことができるんだね。正規表現ってはじめて聞いたけれど、これから文章の中で単語を探すときは使ってみようかな。

そうね。私たちは日常で正規表現のことを意識しないけれど、入力フォームのチェックや検索システムなど、いろいろなところで活躍しているのよ。

正規表現でできること

正規表現で多くのパターンを探すことができます。次の表は、正規表現でできることとその具体的なシチュエーションをまとめたものです。

この他にも、正規表現では多くのパターンを探すことができます。自分が探したいパターンをChatGPTに伝えてみましょう。ほとんどの場合でChatGPTが正規表現を使った検索をしてくれます。サポートサイトに例を記載します。

探せるパターン	具体的なシチュエーション
文字列の先頭や末尾に特定の文字列がある	・テキスト内の「吾輩」から始まる文を探す ・テキスト内の「猫である。」で終わる文を探す
特定の文字列を含む	・身長の記載（例：170cm）を探す ・郵便番号の形式（例：123-4567）を探す
特定の文字列を含まない	・「吾輩」を含まない行を探す
小文字と大文字のアルファベットが混在している	・パスワードに小文字と大文字のアルファベットが混在しているかチェックする
特定の文字列のどちらか	・「犬」または「猫」を含む文を探す
特定の範囲の数字がある	・「18から65」までの数字を探す
特定の文字の後に特定の文字が続く	・「不」の後に漢字2文字が続く文字列（例：不機嫌）を探す

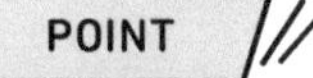

- 「正規表現」を使うことで、特定の文字や単語のパターンを探し出して、検索・置換をすることができる。
- テキストファイルやWordファイルをアップロードし、Advanced Data Analysisで「正規表現」を使って、検索や置換ができる。

5.3 ファイルの一括操作

複数のファイルやフォルダに対して同じ操作を行うとき、ChatGPTを使えば一括で処理することができます。

この節では、自分のPCのファイルを一括でアップロードして、Advanced Data Analysisで変更する方法を紹介します。これにより、複雑なファイル操作も簡単に、そして多くのファイルがあっても正確に修正することができます。

ファイル名の変更

ChatGPTに指示することで、ファイル名を一括で変更することができます。

たとえば、CSVファイルが`1.csv`, `2.csv`, …,`100.csv`という形式になっているとします。これをすべてゼロ埋めして、`001.csv`, `002.csv`, …, `100.csv`というように、「`{3桁の数字}.csv`」というファイル名に変更したい場合を考えます。

この場合、次のようにChatGPTに指示することで、ファイル名を変更したファイルをダウンロードすることができます。

physical_data_original.zip
アーカイブ

以下の作業を実施してください。

・ZIPファイルを解凍
・中に含まれるファイルのファイル名を3桁のゼロ埋めされた数字に変更。たとえば1.csvは001.csvに変更
・ZIPファイルに固めて書き出す

ファイルの名前を変更して新しいZIPファイルを作成しました。**physical_data_renamed.zip** をダウンロードしてください。

ファイル名を変更して、001.csvから100.csvまで順番に表示できるようになった！

ファイルの統合

次は複数のファイルを1つに統合してみましょう。

先ほどのCSVファイルは、100人分の身体測定のデータであり、たとえば001.csvには**図5.3**のような出席番号、身長、体重のデータが含まれます。

図5.3 **001.csvの内容** [3]

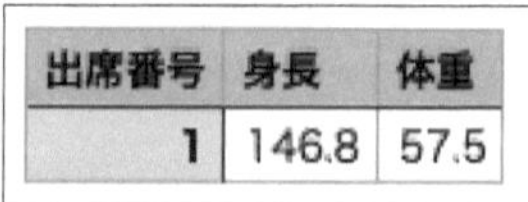

出席番号	身長	体重
1	146.8	57.5

[3] CSVファイルをExcelで開くと日本語の部分が文字化けすることがあります。詳しくは「CSV　文字化け」などとWeb検索してみてください。

これらのファイルをまとめて1つのCSVファイルにしたいという例を考えてみましょう。

先ほど書き出されたZIPファイルをアップロードし、次のように指示します。

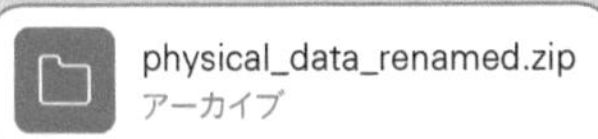

このZIPファイルには、連番で並べられた複数のCSVファイルが含まれており、それぞれのデータには1人分の出席番号、身長、体重のデータが含まれています。
ZIPファイルを解凍してCSVファイルを読み込み、1つのCSVファイルに書き出せるように結合してから、CSVファイルに書き出してください。

CSVファイルを結合して新しいCSVファイルを作成しました。以下のリンクからダウンロードできます。
ダウンロード：concatenated_physical_data.csv

このファイルを開くと、**図5.4**のように100人分のデータが結合されたデータとなっています。100個のCSVファイルに分かれていたデータを1つのCSVファイルにまとめることができました。

図5.4　出力されたCSVファイル

出席番号	身長	体重
1	146.8	57.5
2	149.9	50.7
3	159.7	59.0
4	151.6	58.7
5	155.2	54.9

このように、ChatGPTにファイルの一括操作をさせることができます。ここで紹介したものの他にも、以下のような操作をさせることができます。

- **パターンにもとづいたファイル名の変更**: たとえば、特定の文字列を含むファイルを見つけて変更するなどの操作が可能です。
- **拡張子の変更**: すべてのテキストファイルをCSVファイルに変更するなど、拡張子の一括変更が行えます。
- **フォルダの作成と削除**: フォルダの構造を指定してフォルダの作成やフォルダの削除ができます（フォルダは圧縮することでアップロードすることができます）。
- **条件に基づく一括削除**: 条件を満たすファイルを一括して削除します。
- **複数のテキストファイルへの同一文字列の挿入・置換**: 同じ誤字や古い情報を一括で更新します。
- **特定の行や単語の削除**: 複数のファイルから特定の行や単語を削除します。

サポートサイトに例を記載します。

条件をつけられるなんて、いろいろ応用できそうだな。

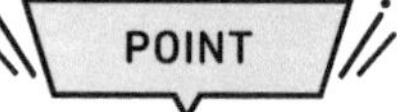

- **PC内のファイルをアップロードして、ファイル名や拡張子の変更ができる。**
- **バラバラのCSVファイルやテキストファイルを、読み込んで1つにまとめるという使い方が便利。**

5.4 QRコード作成

QRコードを作成する

ChatGPTを使うことで、**指定されたURLから簡単にQRコードを生成することができます。**例として、Googleで「Advanced Data Analysis」と検索した際のURLから、QRコードを作成してみましょう。

次のURLをQRコードにしてください。
https://www.google.com/search?q=Advanced+Data+Analysis

以下は、指定されたURL（**https://www.google.com/search?q=Advanced+Data+Analysis**）のQRコードです。スキャンしてアクセスできます。何か他にお手伝いできることがありますか？

生成されたQRコードをダウンロードしたのが、**図5.5**です。

図5.5　**生成されたQRコード**

QRコードって、こうやって簡単に作れるんだ！

URLの一覧をExcelファイルで渡してQRコードを一括作成する

URLのリストをChatGPTにアップロードし、一括でQRコードを作成することができます。7個の記事のURL一覧をアップロードしてQRコードを作ってみましょう。

アップロードしたExcelファイルを読み込んで、URLをすべてQRコードにしてください。
また、QRコードをZIPファイルに固めて書き出してください。

QRコードの画像が正常に生成されました。これらの画像をZIPファイルにまとめて書き出します。
以下のリンクからダウンロードできます：
QRコードのZIPファイルをダウンロード

QRコードが書き出され、ダウンロードすることができます。このZIPファイルをダウンロードして解凍すると、**図5.6**のようにQRコードが確認できます。

図5.6 URLの一覧から作成されたQRコード

数千件のURLのリストからQRコードの作成をお願いしても、短時間で作ってくれるわよ。

POINT

- ChatGPTでQRコードの作成ができる。
- URLの一覧をExcel形式やCSV形式でアップロードすることで、一括でQRコードの作成ができる。

画像の多彩な加工・生成

趣味のダンスで撮った写真を加工してチームのみんなに共有したいけど、ピッタリのソフトがないなぁ。困ったなぁ。

困ったときは、ChatGPTに頼んじゃいましょう！　画像加工もできちゃうよ！

本当？　助けてチキン姉さん！

まかせておいて！　写真は大事よ！　チキンとしなきゃね！

ChatGPTは画像に関して非常に強力な機能を持っており、さまざまなタスクを実現することが可能です。ChatGPTが持つ画像に関する機能を大きく分けると以下の3つとなります。

- **画像処理（Advanced Data Analysis）**
- **画像生成（DALL·E）**
- **画像認識（GPT-4V）**

普通に使っている分には、これらの違いを意識する必要はないですが、**これらの機能で、それぞれが何をどこまでできるか理解することで、機能を自在に組み合わせて、さまざまな画像処理タスクを実現することが可能となります。**

実際に、簡単なタスクから複雑なタスクまで、多くの面倒なことをChatGPTにやらせながら、これらの機能がどう使われるかを解説していきます。**実践を通じてこれらの機能を理解することで、さらに新たなタスクや高度なタスクを自分で解決していくことができるようになるはずです。**

6.1 基本的な画像処理

まずはよく画像処理と言われる分野で行われる、基本的なタスク（画像の読み込み、リサイズ、モノクロ化など）をChatGPTにやらせてみましょう。これらのタスクのほとんどは、Advanced Data Analysisを用いて実現されます。Advanced Data Analysisは、Pythonの実行環境であるため、Pythonの標準的な画像処理ライブラリを使うことで画像処理を実現しています。

画像の読み込み

最初にAdvanced Data Analysisで画像を読み込みます。4.1節で行ったファイルのアップロードとダウンロードと同じ要領で、画像ファイルを扱うことができます。形式についても、JPEG、PNG、GIF、BMPといった主要な画像ファイルはほとんど扱うことができます。

今回は、例としてネコの画像（**図6.1**、**図6.2**）を使ってみます[1]。画像はサポートサイトからダウンロードできます。

[1] 筆者（からあげ）の家のネコです。白黒がソラ、黒がウミです。

図6.1 **ネコの画像①**

図6.2 **ネコの画像②**

ChatGPTに学習してほしくない画像はアップしないように気を付けてね。

ファイルは複数でもアップロードできるので、今回は2枚同時にアップロードしてみましょう。クリップマークを押すとダイアログボックスが開くので、ファイルを複数選択します（**図6.3**）。Shiftキーを押しながら一つずつファイルをクリックすれば複数選択が可能です。

図6.3 **ダイアログボックスでのファイル選択**

よく使う項目
最近の項目
アプリケ…
デスクト…
書類
ダウンロ…

デスクトップ　検索

名前	サイズ	種類	追加日
soraumineko_02.jpg	192 KB	JPEGイメージ	今日 11:53
soraumineko_01.jpg	117 KB	JPEGイメージ	今日 11:52
tmp	--	フォルダ	2023/05/25 11:2
icon	--	フォルダ	2021/06/11 17:2

Advanced Data Analysisで画像を表示

アップロードした画像を表示しましょう。ここで、「ファイルを表示してください」と普通にお願いしても、画像がブラウザ上に表示されないことがあります。そこで**グラフの可視化ライブラリMatplotlibを使います。といっても**

ライブラリの使い方を理解する必要はありません。ChatGPTへのプロンプトでMatplotlibを使うように指示をするだけです。具体的なプロンプトと結果は以下となります。

 soraumineko_01.jpg
画像

 soraumineko_02.jpg
画像

ファイルをMatplotlibで表示してください。

soraumineko_01.jpg　soraumineko_02.jpg

Matplotlibを使用して、2つの画像を表示しました。何か他にご要望がありますか?

ネコの画像がブラウザ上に表示されました。

基本的な画像処理

基本的な画像処理を行っていきます。以下のような処理を実施することができます。

1. **モノクロ化**
2. **画像回転**
3. **画像の切り抜き**
4. **リサイズ**

⑤ **画像結合**
⑥ **ドット絵化**
⑦ **エッジ化**
⑧ **複数ファイルをまとめて処理**

ポイントは、なるべく具体的に指示をすることです。 曖昧な指示をすると、毎回結果が変わったり、何度もChatGPTが指示を求めてきたりします。ただ、具体的な指示が思い浮かばなければ、まずはイメージを伝えて、ChatGPTと相談しながら決めていくこともできます。うまくAIとコミュニケーションをとりながら画像処理を楽しみましょう。

モノクロ化

画像処理の基本のモノクロ化（画像を単色で表現するための処理）をしましょう。プロンプトでそのままお願いするだけです。

画像をモノクロにしてください。

了解しました。アップロードされた画像をモノクロに変換します。
画像をモノクロに変換しました。以下のリンクからダウンロードできます。
モノクロ画像をダウンロード

ダウンロードリンクを作ってくれないときは、「ファイルに保存してください」とお願いしてね。

プロンプトの最後に加えるのもよさそうだね！

作成されたダウンロードリンクをクリックして画像をダウンロードし、表示したら、**図6.4**のようにモノクロ画像が表示されました。

図6.4 モノクロ化された画像

単純な処理の場合は、このように簡単な指示をするだけで、ChatGPTがだいたい想像したとおりの画像の処理をしてくれます。

画像回転からエッジ化までの処理も、モノクロ化と同様に行うことができます。プロンプトはサポートサイトで紹介しているので参考にしてください。

複数ファイルをまとめて処理

画像処理ソフトは、複数ファイルに対して、一括で手軽に画像処理することが難しいことが多いです。たとえば、上司から「たくさんの画像ファイルのサイズをいっぺんに小さくしてほしい」といったお願いをされたとしましょう。

そんな面倒なお願いごとも、ChatGPTがあれば簡単です。

アップロードしたファイルをすべて半分の大きさにリサイズしてZIPファイルに圧縮したものを保存してください。

了解しました。以下の手順で進めます。

1. それぞれの画像を半分の大きさにリサイズする。
2. リサイズした画像をZIPファイルに圧縮する。
3. ZIPファイルを保存する。

早速、実行していきます。

画像を半分の大きさにリサイズして、ZIPファイルに圧縮しました。以下のリンクからダウンロードできます：
リサイズされた画像のZIPファイル

今まで面倒だと思っていた画像処理の作業も、ChatGPTの登場で気軽にできるようになりますね。

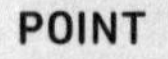

POINT

- **ChatGPTは、JPEG、PNG、GIF、BMPといった主要な画像ファイルはほとんど扱うことができる。**
- **ChatGPTを使ってチャット形式で画像処理ができる。**
- **狙いどおりの画像処理をするためには、具体的に指示をする必要がある。**

6.2 画像生成

ChatGPTでは、画像生成AIを使って絵を描くことができます。2023年11月時点、ChatGPTは、DALL·E（ダリ・イー）と呼ばれる画像生成AIを使っています。

絵を描くのは簡単で、ChatGPTのプロンプトに「絵を描いてください」といった画像を生成するお願いの文章を含めると、ChatGPTが画像生成AIを使用して絵を生成してくれます。

単純な画像生成

具体的なプロンプトと結果を見てみましょう。以下はネコの絵を描く例です。

ネコの絵を描いてください。

今回は「ネコ」としか書いていないので、実行するたびに違う画像が生成されますが、ネコの特徴（色、ネコの種類）を詳しく指定すると描きたい画像にコントロールすることができます。

画像は、画像左上の下矢印ボタンをクリックすることでダウンロードができます(**図6.5**)。

図6.5 **生成された画像のダウンロード**

この後紹介する画像認識と組み合わせることで、写真や絵を参考に似顔絵を描かせることもできるよ!

後で出てくるからお楽しみに!

複数の画像も描くことができます。描くことのできる枚数はOpenAIのサーバー負荷を考慮し、時期によって変わるようですが、2〜4枚のことが多いです。今まで学んだテクニックを応用して、生成した画像をまとめてダウンロードすることもできます。

ネコの絵を2枚描いてZIPファイルで保存してください。

絵が描かれたので、それらをZIPファイルにまとめました。以下のリンクからダウンロードできます。

ネコの絵のZIPファイルをダウンロード

スタイルやサイズの変更

スタイルを指定することもできます。

ネコを漫画風に描いてください。

ネコをサイバーパンク風に描いてください。

サイズに関しては、何も指定しないと正方形ですが、プロンプトで指定することで横長・縦長にもできます。

文章を使った画像生成

プロンプトに単語でなく、文章を使うことでより状況に合った画像を生成することもできます。プロンプトの例は以下です。

以下の文章をもとに絵を描いてください。

""""
ここに文章を入力してください
""""

青空文庫にある、宮沢賢治の『銀河鉄道の夜』「六、銀河ステーション」[2]の一節を使って画像を生成した例が**図6.6**です。

[2] https://www.aozora.gr.jp/cards/000081/files/456_15050.html

図6.6 『銀河鉄道の夜』から生成した画像

文章の挿絵を描くのにも使えそうだね！

スタイルの変換やインターネット検索機能と組み合わせることで、たとえばブログ記事のアイキャッチ画像を生成することもできます。

以下は、私が「朝に公園を散歩していること」を題材に書いたブログ記事で試してみた例です。

以下のWebサイトの文章をもとに画像を生成してください。
フラットデザイン、クレヨン風テクスチャ、ピクセルアートなど、かわいらしく万人に受け入れやすいテーマで横長の画像を生成してください。
https://karaage.hatenadiary.jp/entry/2023/11/08/073000

画像を生成しました。朝の公園のシーンが描かれています。散歩を楽しむ人々、音楽やポッドキャストを聞きながら歩く人々、そして遠くのカワセミをiPhoneで撮影しようとする人物も含まれています。この画像はフラットデザイン、クレヨン風のテクスチャ、ピクセルアートなど、かわいらしく万人に受け入れやすいテーマで作成されています。

文章に合った、多くのブログに合いそうなデザインのアイキャッチ画像が生成されました[3]。公園の池の様子や、音声配信を聞きながらの散歩、カワセミといったブログの文章の内容を忠実に汲み取っています。筆者の主観にはなりますが、実際のイメージに非常に近い画像と感じられました。ブログのアイキャッチ画像として十分実用的に使えそうです。

画像生成の注意点

ChatGPTを使って生成した画像は、2023年11月時点では、責任は作成者が負う形で商用利用可能です[4]。ただ、時期によって内容は変更される可能性があるため、詳細はOpenAI社のコンテンツポリシーを確認してください。

また、商用利用可能とするための処置として、実在の人物や著作権のある

[3] スタイルのプロンプトは著者（からあげ）の友人のブロガー「変デジ研究所」(https://lab.hendigi.com/) のろんすたさんにアドバイスいただきました。

[4]「DALL·E - Content Policy FAQ」, OpenAI, https://help.openai.com/en/articles/6468065-dall-e-content-policy-faq

キャラクター、また公序良俗に反するような画像（いわゆるポルノなど）は描くことができないようになっています。そのようなプロンプトを指定しても、ChatGPTに画像生成を断られます。

プロンプトを工夫して、そのような画像を無理やり生成するテクニックもありますが、ChatGPTのポリシーに反することと、一時期生成できてもOpenAIの対策のアップデートですぐに使えなくなる可能性が高いため本書では紹介しません。また、**著作権や肖像権を侵害するような画像を無理やり生成した場合、その画像をインターネット上に公開したり、商用利用したりすると法律に触れる可能性がありますので十分注意してください。**

ChatGPTの画像生成は、制約が厳しく自分が描きたい絵が描けない場合もあるかもしれませんが、そのときは素直にChatGPT以外の画像生成AIを使用することを推奨します[5]。ローカルPCで動かせるStable Diffusionなどのオープンな画像生成AIに関してはサポートサイトで紹介しますので、興味がある方はそちらを参照ください。

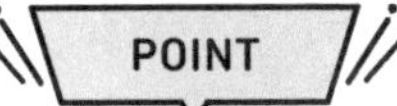

- **画像の生成がテキストから簡単にできる。ネット上の文章からも生成可能。**
- **スタイルやサイズをプロンプトで変更することができる。**
- **生成した画像は商用利用が可能だが、権利の侵害には注意。**

[5] もちろん、他のツールを使う際も上記の注意は同様です。各ツールの利用条件を確認し、著作権や肖像権を侵害しないよう注意してください。

6.3 画像認識

ChatGPTでは、Advanced Data Analysisでの画像認識に加えて、GPT-4Vという高度なAIを使った画像認識が可能です。現状のAdvanced Data Analysisで動く画像認識は、顔認識などの特定用途の簡単なタスクが中心です。

一方、GPT-4Vでできる画像認識の内容は、画像の説明・OCR・物体の数え上げ・物体の位置検出・異常検出など多種多様です。**従来のAI画像認識では、通常認識する対象及び認識タスクごとに膨大な時間を使って学習した専用のAIモデルを用意していましたが、GPT-4Vでは、プロンプトを工夫するだけで多様な対象に対して複数の認識タスクを実現することができます。**

このような高度なAI画像認識モデルには、さまざまな使い道が考えられます。本書ではその中でも面倒なことを削減できる実用性が高い使い方を紹介したいと思います。

また、画像認識は今まで紹介したAdvanced Data Analysisでの画像処理とDALL·Eでの画像生成と組み合わせることで、より多様なタスクを実現できますので、そのような高度な使用方法も紹介したいと思います。

簡単な顔認識

まずは、**画像認識技術の代表例である、顔の位置がどこにあるかを探す顔検出**とその応用例を試してみましょう。

人の顔が写っている顔写真を準備しましょう。もしアップロードに問題のない適切な画像がない場合は、サポートサイトからダウンロードしてください[6]。

顔検出は、非常に歴史のある技術なので、古典的な「ハールライク特徴量」と呼ばれる顔によく見られるパターンを用いた検出手法から、最新のAIを使った手法まで数多くあります。

[6] 筆者（からあげ）の友人のブロガー「変デジ研究所」(https://lab.hendigi.com/) のろんすたさんの顔写真を許可いただいて使用しました。自己学習用にご使用ください。

現時点のAdvanced Data Analysisでは、OpenCVという有名な画像処理ライブラリに搭載されている古典的なハールライク特徴量を用いた顔検出とdlibライブラリとよばれる機械学習ライブラリの顔検出機能を使えます。ChatGPTは、とくに指示しないとOpenCVを使った顔検出を行うことが多いですが、顔検出に失敗することが多いので、より高性能なdlibライブラリを指定することで簡単に顔検出性能を上げることができます。

face_sample.jpg
画像

画像に対してdlibライブラリを使った顔検出をしてください。
「import dlib」でdlibライブラリを使用できます。

了解しました。dlibライブラリを使って顔検出を行います。

顔検出が完了しました。赤い矩形で囲まれた部分が検出された顔の位置です。結果はいかがでしょうか?

顔検出が少し難しい画像のため、OpenCVでは失敗することも多いですが、dlibを使うと高い確率で顔検出に成功します。もし失敗したときは「顔検出に失敗しています。パラメータを変えてやりなおしてください」とお願いすれば試行錯誤してくれます。

顔のランドマーク検出

少し高度な応用例として、dlibライブラリを使った顔のランドマーク検出（顔の特徴点の表示）ができます。ランドマーク情報は、顔の表情を読み取るといった高度な画像処理に使用できます。顔のランドマーク検出には顔ランドマーク検出器のファイルが必要ですが、現在のAdvanced Data Analysis環境には存在しません。

そのため、dlibの公式サイト[7]から「shape_predictor_68_face_landmarks.dat.bz2」をダウンロードしましょう。続けて、ダウンロードしたファイルをアップロードして以下のプロンプトを入力しましょう。

shape_predictor_68_face_landmarks.d...
ファイル

アップロードした68点顔ランドマーク検出器のファイルを解凍してから使用して、顔のランドマーク検出をしてください。

了解しました。まず、アップロードされた shape_predictor_68_face_landmarks.dat.bz2 ファイルを解凍し、その後で68点の顔ランドマーク検出を行います。

ファイルの解凍に成功しました。次に、この68点の顔ランドマーク検出器を使用して、画像内の顔のランドマークを検出します。

[7] http://dlib.net/files/

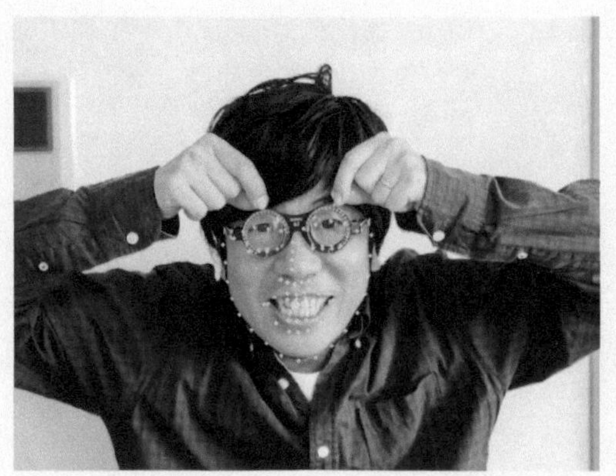

68点の顔ランドマーク検出器を使用して、画像内の顔のランドマークを緑色の点で表示しました。これにより、顔の特徴的な部位（眉、目、鼻、口、顎の輪郭など）が示されています。

みごとに顔のランドマークが検出されました。

顔をモザイク加工

実用的な応用例である、検出した顔の範囲へのモザイク処理も、以下のようなプロンプトで簡単に実現できます。

dlibを使った顔検出を使って、顔へのモザイク処理をしてください。

了解しました。まず、dlibを使用して顔を検出し、その後で検出された顔領域にモザイク処理を行います。モザイク処理は、画像の該当部分を低解像度にリサイズしてから元のサイズに戻すことで実現します。

dlibを使用して検出された顔領域にモザイク処理を適用しました。顔の詳細が隠されていることが確認できます。

モザイクの粗さや他の要望などがございましたら、お知らせください。

このプロンプトで、たとえばプライバシー保護のために、**たくさんの写真や集合写真に対して人の顔にモザイク加工をするという面倒な作業も、ChatGPTにお願いするだけで実現できます**[8]。

GPT-4Vを使った画像認識

まずは画像の説明をさせてみましょう。動作確認を兼ねて、以下のような少し変わった画像の説明をさせてみます。

[8] 現状の性能だと、顔が重なっていたり正面を向いていなかったりすると失敗しやすいです。

この画像を説明してください。

画像には、林の中の太い倒木の上でアイロン台を使ってアイロンがけをしている人物が写っています。人物は赤いトップスとカジュアルなパンツ、そして白い靴を履いているように見えます。顔はピクセル化されていて特定できません。周囲は緑の木々に囲まれており、自然の中で非日常的な行為をしているユーモラスなシーンです。アイロン台が不安定そうに見えるため、危険な状況にも見えます。

大自然の中でアイロンがけをするという特殊な状況[9]を、非日常的でユーモラスなシーンとして正しく認識しています。

人物の服装や背景の情報など、かなり多くの情報を画像から読み取っていることから、画像認識性能の高さがうかがえます。

この高度な画像認識（GPT-4V）の活用例を紹介していきます。

文字の読み取り(OCR)

GPT-4Vは、OCR（Optical Character Recognition）とよばれる、画像から

[9] 筆者（からあげ）の若気の至りです。

の文字の読み取りも可能です。一番性能が高いのは英語ですが、日本語の読み取りも可能です。

たとえば、ホワイトボードに手書きで記載した一週間の予定の写真を読み取ってみましょう。

OCRをするには、プロンプトとして「この画像の文字を読み取ってください」と指定するだけです。

あれ、「この画像をOCRしてください」だとエラーになっちゃう。

現状、プロンプトに「OCR」と含めると、GPT-4VでなくAdvanced Data AnalysisでOCRをしようとしてうまくいかないケースがあるみたい。OCRという言葉は含めないほうがうまくいくのよ。

専門用語を使わない方がいい場合もあるんだね……。

中身を意識しながら試行錯誤すると、コツがつかめてくるわよ！

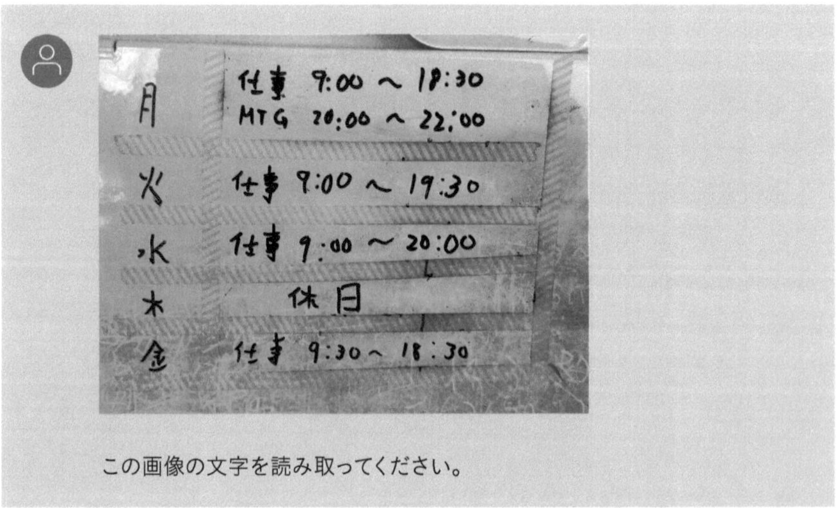

画像には次のようなテキストが含まれています：

月　　午前 9:00 〜 午後 19:30
　　　MTG 20:00 〜 22:00

火　　午前 9:00 〜 午後 19:30

水　　午前 9:00 〜 午後 20:00

木　　　休日

金　　午前 9:30 〜 午後 18:30

これは一週間のスケジュールを示しており、特定の曜日ごとに設定された勤務時間やミーティングの時間、そして木曜日が休日であることが記されています。

ホワイトボードの汚れなどもある中、文字を読み取ってくれました。

英語や数字、日本語でも文脈や規則性のある文章（月〜金に並んだ曜日など）は、正しく認識してくれることが多いのですが、日本語の単語になると、認識できないことが多いようです（上記では数字にも一部誤りがあります）。

たとえば、今回の例だと「仕事」という単語を数字に関連付けて勝手に「午前」と置き換えてしまう場合がありました（うまくいく場合もあります）。

現状のGPT-4Vの画像認識では、単語の羅列ではなく文章や、数字が中心のスケジュールのような表の読み取りに使うのがオススメです。たとえば買い物リストのような関連性のない複数の単語が並んでいる画像だと、うまくいかないことが多いです。

続いて、Advanced Data Analysisを使うことで、画像から読み取った情報をExcelファイルに書き出します。以下のプロンプトでお願いします。

この予定をExcelファイルとして書き出してください。

予定をExcelファイルに書き出しました。以下のリンクからダウンロードできます：

ダウンロード週間スケジュール

表6.1のようなスケジュールを書き出すことができました。

表6.1 **Excelファイルに書き出したスケジュール**

Day	Work Hours	Other
月	9:00～19:30	MTG 20:00～22:00
火	9:00～19:30	
水	9:00～20:00	
木	休日	
金	9:30～18:30	

このように画像認識（GPT-4V）とAdvanced Data Analysisを組み合わせることで「画像のスケジュールを読み取ってExcelとして保存する」という面倒な作業を自動化することができました。

GPT-4VとAdvanced Data Analysisを組み合わせる場合は、一気にやろうとせず「GPT-4Vを使った画像からの文字の読み取り」「Advanced Data Analysisを使って読み取った情報をExcelに保存」と機能ごとに実行した方がうまくいくことが多いので、**うまくいかないときは1つずつステップバイステップで実行するようにしてみてください。**

専門的な図の説明

調べ物をしていて、専門的な図にあたって困ったことはないでしょうか？ここでは、AWS（Amazon Web Service）というクラウドサービスの図（**図6.7**）を例に、専門的な図をChatGPTと一緒に読む読み方を提案します。

図の場合、文字と違って検索して補足情報を探すことが難しいですが、ChatGPTを使えば会話形式で質問できるので理解が深まります。

図6.7 **AWSのアーキテクチャ図の例** [10]

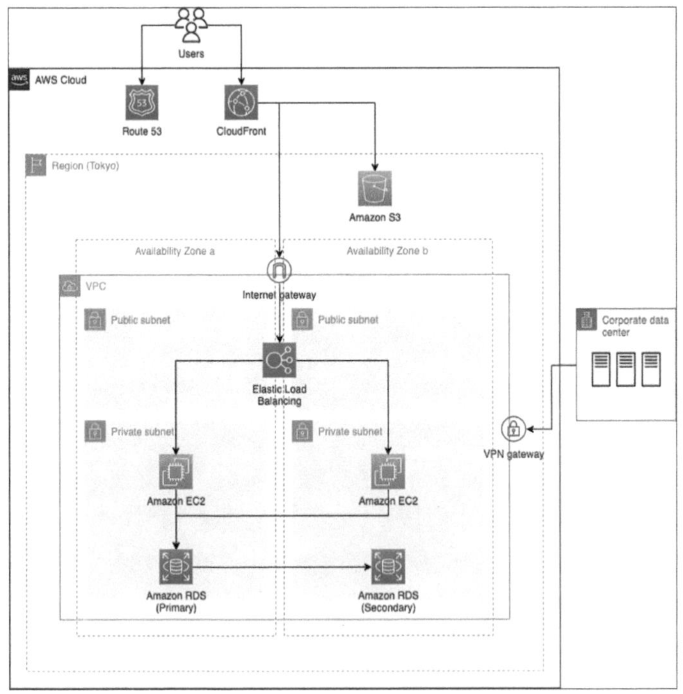

[10]「AWS のアーキテクチャ図を描きたい！でもどうすれば良いの？」, Amazon Web Services, Inc., 杉本圭太, https://aws.amazon.com/jp/builders-flash/202204/way-to-draw-architecture/ より引用

まずは図をアップロードし、以下のプロンプトでChatGPTに**図6.7**を説明してもらいます。

この図を説明してください。

この図は、AWS（Amazon Web Services）クラウド環境内で設計された一般的なウェブアプリケーションアーキテクチャを表しています。以下のコンポーネントが含まれています：

・**ユーザー**：システムのエンドユーザーを表します。
・**AWS Cloud**: アプリケーションがホストされているAmazonのクラウドプラットフォームです。
・**Route 53**: AWSのDNS（Domain Name System）ウェブサービスです。ユーザーのリクエストを適切なサーバーにルーティングするために使用されます。
・**CloudFront**: AWSのコンテンツデリバリネットワーク（CDN）サービスです。ユーザーに近い場所からコンテンツを配信することで、レスポンスタイムを改善します。

全体として、この図はAWS上で高可用性とスケーラビリティを持つウェブアプリケーションのインフラストラクチャの設計を示しています。サービス間の接続はダッシュ線や矢印で示されており、データの流れやコンポーネント間の関係性を表しています。

図でわからないことがあれば、ピンポイントで質問することも可能です。

ここでAmazon S3はなぜ必要なのですか？

Amazon S3 (Simple Storage Service) は、ウェブアプリケーションアーキテクチャにおいて以下のような理由で必要とされることが多いです：

1. **スケーラブルなストレージ**: S3は実質無限に近いストレージ容量を提供し、大量のデータを保存できるため、アプリケーションの成長に合わせて容易にスケールアップできます。
2. **耐久性と可用性**: S3は99.999999999% (11 9's) の耐久性を提供し、データセンターをまたいだ複製により高い可用性を保証します。つまり、データの損失リスクが非常に低いです。

この図のコンテキストでは、S3はおそらく静的リソース（画像、スタイルシート、JavaScriptファイルなど）をホストし、それらを世界中のエンドユーザーに迅速に配信するためにCloudFrontと組み合わせて使用されていると考えられます。また、アプリケーションのバックアップやログファイルの保管場所としても利用される可能性があります。

クラウドに詳しいアシスタントが増えたようで、頼もしいですね。このように専門外の図で分からないことがあったとき、すぐ聞くことができます。

ハルシネーションには注意してね！

画像の物体を数える

画像の物体の数を数えることもできます。たとえば**図6.8**は筆者の部屋にある電子部品・マイコンの一部を並べた写真です。

図6.8 電子部品・マイコンの写真

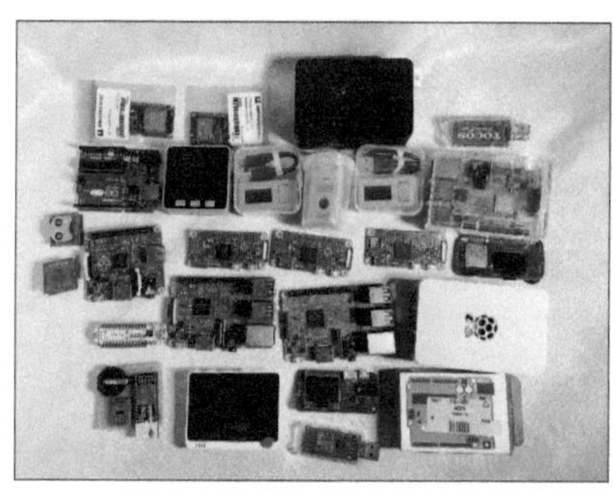

まずはそもそもこれらの部品を理解できているのか聞いてみます。

画像を説明してください。

画像にはさまざまな電子部品と小型コンピュータのボードが白い布の上に整然と配置されています。中央にはRaspberry Piのボードが数枚見られ、他にもArduinoのボードや、LCDディスプレイ、センサー、トランジスタ、Wi-Fiモジュールなどの電子部品が含まれています。いくつかの部品は静電気防止の袋に入れられており、他にもプラスチックのケースに収められた部品もあります。これらはおそらく電子工作やプログラミングのプロジェクトに使われることを意図しているアイテムです。

電子部品の名前が正しく記載されています。ChatGPTは、このような専門的な部品でも知識を持っています。続いて数を数えてもらいます。

部品の数を数えてください。Pythonのプログラムは使わないでGPTの画像認識機能を使ってください。

・ラズベリーパイのボードが5枚

・アルドゥイーノのボードが2枚

・アルドゥイーノシールドが1枚

これらのアイテムの合計は28個です。ただし、他のアイテムに隠れている可能性のある小さな部品やアイテムはこの数に含まれていないかもしれません。

部品の数は、正確には26個なのですが、基板に実装された左下の部品を3つと数えると28個なので、今回のケースではほぼ正確に数えられていることがわかります。

これでお米の1粒1粒まで数えられる！

あんまり細かいものは正確に数えるのは難しいわよ。いろいろ試してみてね！

物体検出

たとえば「ネコの位置を赤い枠で正確に囲ってください」といえば物体検出と呼ばれる位置を特定するタスクもできるわ（図6.9）。

図6.9 物体検出の例

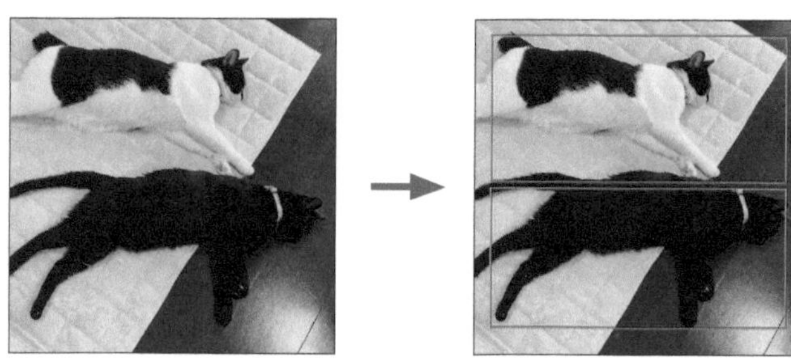

ほんとだ！　でもちょっと位置がずれてるね。

今のところ物体検出専用のAIよりは精度が低いみたい。間違ったところを囲ってしまうこともあるの。チキンとしてほしいわ。

今後に期待だね！

POINT

- GPT-4Vは、1つのモデルで多様な対象に対して複数の画像認識タスクを実現できる。

6.4 高度な画像処理

似顔絵・超絶画像加工

GPT-4Vによる画像認識とDALL·Eによる画像生成を組み合わせることで、さらに高度な画像加工が可能になります。具体的には、GPT-4Vで画像からテキストに変換したあと、DALL·Eで再びテキストから画像に変換することで、従来の画像加工ではできないような柔軟な画像加工ができます。例として、人の似顔絵を描いてみましょう。再び素材としてろんすたさんの画像を使用させていただきます。

画像を説明して、その説明をもとにアニメ調の画像を生成してください。

画像には、明るい日差しの下で市街地の歩道に立っている男性が写っています。

これを元に、同じシチュエーションをアニメスタイルで描いた画像を生成します。

説明だけで絵を描いてくれないときは、「絵を描いてください」ともう一度お願いしてみてね。

アニメ調のかなり大胆な画像変換ができました。さらに、一部分を変えることも可能です。

髪型をアフロにして、服を着物にして、アニメ調のイラストからサイバーパンク風のイラストに変更してください。

このようにして画像をベースにテキストに変換することで、自由度の高い画

像の加工が可能となります。

もちろん、人以外の画像でも同様に加工することができます。**図6.10**はネコをサイバーパンク風に加工したり、ネコを犬に変換した例です。

図6.10 人以外のアレンジ画像の生成

Slack・Discordの絵文字を作る

Slack・Discordといったチャットアプリで使える絵文字画像を生成してみましょう。

Slack・Discordともに、絵文字に使える画像サイズは128×128ピクセルです。まずは文字をベースに作成してみます。日本語を使う場合は最初に**日本語フォントをアップロードする必要があります。**これは、Advanced Data Analysis環境に日本語フォントが用意されていないためです。

フォントをアップロードせずに日本語を使おうとすると、文字が化けて図6.11のような読めない記号となってしまいます。

図6.11 文字化けの例

日本語フォントとしては、Googleが提供している「Noto Sans Japanese[11]」を使用します。Open Font License[12]という商用利用可能なライセンスで公開されていて使いやすいため選びました。他に手軽に使えるフリーフォントとしては「IPAフォント[13]」などがあります。

サイトの右上の「Download family」ボタンからダウンロードしましょう（**図6.12**）。

図6.12 **「Noto Sans Japanese」フォントのダウンロード**

ダウンロードしたZIPファイルを解凍すると、「static」というフォルダの中に複数のフォントファイル（拡張子が「.ttf」のファイル）が入っています。今回は太めの文字にしたいので「NotoSansJP-Bold.ttf」をアップロードします。アップロード方法は4.1節を参照してください。もちろん、好みに応じて、他のフォントを使用することもできます。

日本語フォント使用の準備が完了したので、ChatGPTに絵文字作成をお願

[11] https://fonts.google.com/noto/specimen/Noto+Sans+JP
[12] https://scripts.sil.org/cms/scripts/page.php?site_id=nrsi&id=OFL
[13] https://moji.or.jp/ipafont/ipafontdownload/

いします。今回は、**決まった処理でなく、オリジナルのコンテンツを作るので、思い通りのものをつくるために細かく指示をする必要があります。**そのため、2.2節で紹介した指示と内容を分ける書き方を用いて、具体的な要件を細かく記載します。

NotoSansJP-Bold.ttf
ファイル

「からあげ」という文字をベースに絵文字を作成してください。要件は以下です。

要件 """
・128×128ピクセルサイズの画像
・OpenCVを使う
・アップロードした「NotoSansJP-Bold.ttf」をフォントとして使う
・文字は中央に大きく配置
・「から」と「あげ」で2行に分ける
・文字の色は赤
・背景は透過する
・ファイルを保存する
"""

了解しました。「からあげ」の絵文字を作成します。指定された要件に従って、OpenCVとアップロードされたフォントを使用して画像を作成します。

「からあげ」の絵文字を作成しました。以下のリンクからダウンロードできます。
からあげの絵文字をダウンロード

見事1回で期待どおりの絵文字を生成できました（**図6.13**）。もし希望と異なる結果になったら、修正をお願いしましょう。作った絵文字は、SlackやDiscordの絵文字欄から追加することができます。

図6.13 生成した絵文字

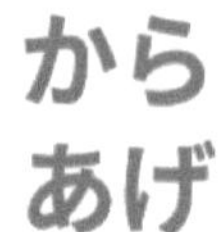

あれ、文字の色が赤じゃなくて青になっちゃった。

専門的な話だけど、画像処理に使うライブラリのOpenCVは、他のライブラリの色の順序が赤・緑・青なのに対して、青・緑・赤の順序なの。なので赤と青を入れ替えちゃうのは初心者あるあるなのよ。

人の間違いまで学習しちゃってるんだね。

上記のようにお願いしたい要件を具体的に指示することで、少ない回数でタスクを実現することができます。

「OpenCVを使う」ことを指定しているのはちょっとしたテクニックです。前節でもOpenCVを紹介しましたが、OpenCVは画像処理に非常によく使われるライブラリです。指示しないとChatGPTがMatplotlibなどの画像処理に向いていないライブラリを使い、いつまでもうまく絵文字を生成できないケースがあるため、明示的に指定しています。その他は、絵文字を作るにあたって必要と考えられる、サイズ・色・位置といった情報を記載しています。

「いきなりこんなに細かい指示をできない」と感じられる方もいらっしゃるかもしれませんが、最初は少ない要件から始めても大丈夫です。そうすると、ChatGPTが「サイズを教えてください」といったように、不足している情報を聞いてくれます。**ChatGPTの質問項目が、そのままChatGPTのプロンプトに入れるべき項目になるので、次回から最初のプロンプトに項目を反映することで、ChatGPTとの試行錯誤のやりとりを節約できます。**

文字に加えて、先ほど使用した画像加工で画像を生成してみましょう。

使用するプロンプトは「画像のネコをベースにアニメ調の画像を生成してください」と「この画像を128×128ピクセルの画像にリサイズしてください」です。変換前と変換後の画像の結果のみ掲載します（**図6.14**）。

図6.14 **ネコの写真から作った絵文字**

POINT

- **画像処理(Advanced Data Analysis)、画像生成(DALL·E)、画像認識(GPT-4V) を組み合わせることで高度で多彩なアイデアを実現できる。**

手軽に音声ファイル処理

ChatGPTでは画像以外に音声も使えるよ。

本当？　最近ダンスで使うためのBGMを夜な夜な編集しているんだけれど、大変で困ってたんだ。そんなこともお願いできたりするのかなぁ？

全部ChatGPTにおまかせよ！　GoGo！

音声もデータなので、ChatGPTでデータとして処理することができます。画像と同じように、ChatGPTにお願いするだけで、いろいろな音声処理ができます。

7.1 音声ファイルの読み込み

ChatGPTによる音声読み込みを行います。4.1節で行ったファイルのアップロードとダウンロードと同じ要領で音声ファイルを扱うことができます。**扱うことのできるファイル形式も、WAV、MP3、AAC、WMA[1] といった主要な音声ファイルの形式はほとんど含まれます。**

[1] 音楽を扱うファイルとしては、WAVなどのオーディオファイル以外に、音楽の演奏情報（いわゆる楽譜情報）を扱うMIDIやOSCといったファイルもありますが、これらのファイルを直接扱えるPythonライブラリはChatGPTでは現状使えず、できることの幅が小さいため、今回の対象からは除外します。

音声ファイルは、好きな手元のファイルを使って試してください。サポートサイトには、素材として筆者がインターネットで音声配信していたコンテンツを準備いたします。本書の例ではこの音声ファイルを使用します。

ファイルがアップロードできたか確認するために、以下のプロンプトを使って音声の長さを確認してみます。

音声ファイルの長さを教えてください。

了解しました。アップロードされた音声ファイルの長さを調べてみます。
アップロードされた音声ファイルの長さは約319秒（約5分19秒）です。

音声ファイルをオーディオプレイヤーで開くと、たしかに5分19秒なので、正しく音声ファイルを読み込めていることがわかります。

POINT

- **音声ファイルも画像と同じようにChatGPTにアップロードしてデータ処理ができる。**
- **多くの種類の音声ファイル形式を扱うことができる。**

7.2 音声ファイルの可視化

音声ファイルの波形可視化

音声ファイルの可視化を行います。目で見ることのできない音声を、波形として表示することで音量を目で見て確認することができます。

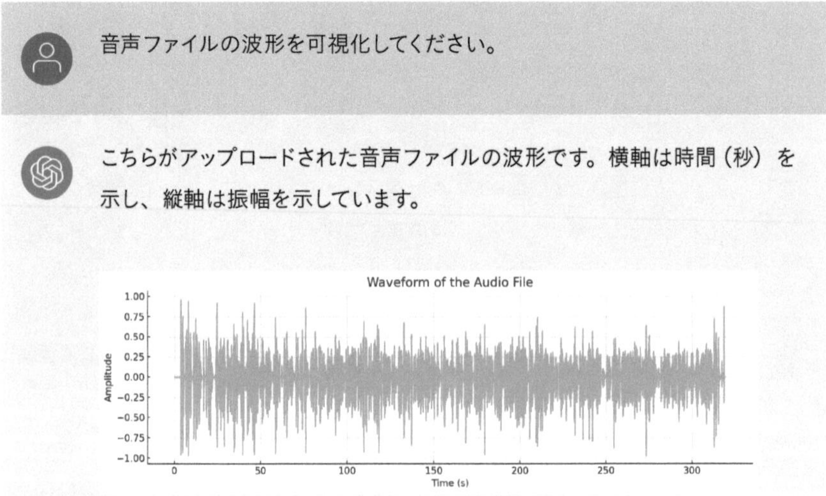

波形を可視化することができました。このグラフでは横軸が時間、縦軸が音の大きさを表しています。**どこで大きな音が出ているのか、どこが無音だったのかという情報を視覚的に得ることができます。**

音声ファイルのスペクトル可視化

次に、音声ファイルのスペクトルの可視化をしてみましょう。スペクトルは、音声の周波数成分を表現したものです。**音の波形は主に音の大きさを表しますが、スペクトルは音の音色に相当するものを表します。**

スペクトルを時間方向に並べたものをスペクトログラムといいます。先ほどの音声ファイルをスペクトログラムで可視化してみましょう。次のプロンプトを使います。

音声ファイルの最初の10秒に関してSciPyを使ってスペクトログラムを表示してください。

こちらがアップロードされた音声ファイルの最初の10秒のスペクトログラムの表示です。横軸は時間（秒）、縦軸は周波数（Hz）を示しています。色の濃さは該当する周波数と時間の強度を示しています。

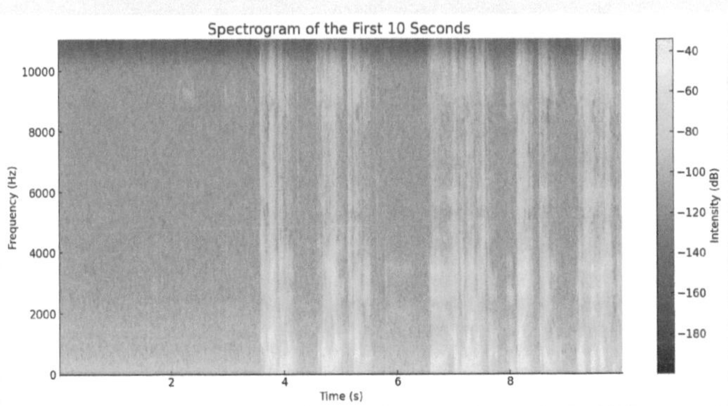

プロンプトを少し説明します。10秒という時間を指定しているのは、スペクトログラムの表示に計算機がリソースを大量に使うため、長時間の音声に対して実行すると、ChatGPTのエラーが発生してしまうためです。

SciPyというのは、Pythonのライブラリで、スペクトログラムの表示を簡単に実行するために指定します。画像処理のときにOpenCVライブラリを指定したのと同じ要領で最適なライブラリを指定しています。

スペクトログラムの表示、すごそうだけど何に使えるの？

いろいろあるよ。たとえば工場の設備の異常を異音で判断するときに使えるわ！

- 簡単なプロンプトで音声の波形とスペクトルの可視化ができる。
- スペクトル表示の際は、短い時間の指定とSciPyライブラリの使用をするのがうまくいくコツ。

7.3 音声ファイルの編集

音声の切り出し

音声ファイルの編集を実施していきます。最初は音声の切り出しです。次のように単純なプロンプトを使います。

音声ファイルの最初の30秒を切り出して保存したいです。

音声ファイルの最初の30秒を切り出しました。以下のリンクからダウンロードできます。

最初の30秒の音声ファイルをダウンロード

何度か試行錯誤はあったものの、とくに追加の指示をすることなく、30秒のファイルを切り出して保存してくれました。

無音部分のカット

実用的な例として、無音部分をカットしてみたいと思います。以下のようなプロンプトを使います。

音声ファイルの無音部分をカットして保存してください。以下の要件に従ってください。
要件 """
・pydubのdetect_nonsilent関数を使用する
・無音の最小期間は100msとする
・無音のスレッショルド[2]は-40dBとする
"""

無音部分をカットした音声ファイルを保存しました。以下のリンクからダウンロードできます。
無音部分をカットした音声ファイルをダウンロード

簡単に無音部分のカットができました。サポートサイトに準備した、筆者の音声配信コンテンツのファイルで試したところ、元の5分19秒と比べて、3分5秒と全体の約40%がカットできていました。実際に聞いてみると、少しせわしない感じはしましたが、無駄な待ち時間がなくなっており実用的な編集と感じました。

単純な「音声ファイルの無音部分をカットしてください」というプロンプトだとエラーが出る場合があったので、少し細かい指定をしています。

簡単にプロンプトの説明をします。pydubを指定しているのは、無音部分で

[2] ここでは無音かどうかを判断する基準となる大きさを示しています。

カットするときにライブラリによってはメモリのエラーが発生したためです。

無音の期間とスレッショルドは音声ファイルによって異なるので、まずはChatGPTにおまかせしてから調整して決めるのがよいでしょう。

ミーティングや講演を録音したとき、無音部分を削除できると後で聞くとき時短になっていいね！

ピッチシフト・タイムストレッチ

音声編集の専用ソフトで行うような、音声の音のピッチ（高さ）を変更したり、音の高さを変えずに速度を変更する（タイムストレッチ）といった高度な音声編集も、簡単なプロンプトで実現できます。

音声ファイルを上に3度ピッチシフトしてください。

了解しました。音声ファイルのピッチを3度上げるために、まずその音声ファイルを読み込み、その後にピッチシフトを行います。

ピッチを3度上げた音声ファイルを作成しました。以下のリンクからダウンロードできます：

音声ファイルをダウンロード

すんなりとピッチシフトしてくれました。

続いてタイムストレッチです。こちらもシンプルなプロンプトで実現できます。

音声ファイルを2倍の長さにタイムストレッチしてください。

了解しました。音声ファイルのタイムストレッチを行い、2倍の長さにします。

タイムストレッチを適用した音声ファイルを作成しました。以下のリンクからダウンロードできます。
音声ファイルをダウンロード

こちらもスムーズにファイルを処理してくれました。

5章で学んだような一括処理も可能です。ZIPファイルにまとめた複数の音声ファイルに対して、波形表示をしてみたいと思います。

split_audio_files.zip
Zip アーカイブ

アップロードしたファイルを解凍したあと、すべてのファイルの波形を画像ファイルにしてZIPファイルにまとめて保存してください。

了解しました。以下の手順で進めます。

1. アップロードされたZIPファイルを解凍します。
2. 各音声ファイルの波形を画像として描画します。
3. 生成された画像をZIPファイルにまとめて保存します。

まず、ZIPファイルを解凍して中身を確認します。

波形の画像をZIPファイルにまとめました。以下のリンクからダウンロードできます。
waveform_images.zipをダウンロード

手軽に複数の音声ファイルに関して一括でデータ処理をすることができました（**図7.1**）。

図7.1　**生成された波形の画像例**

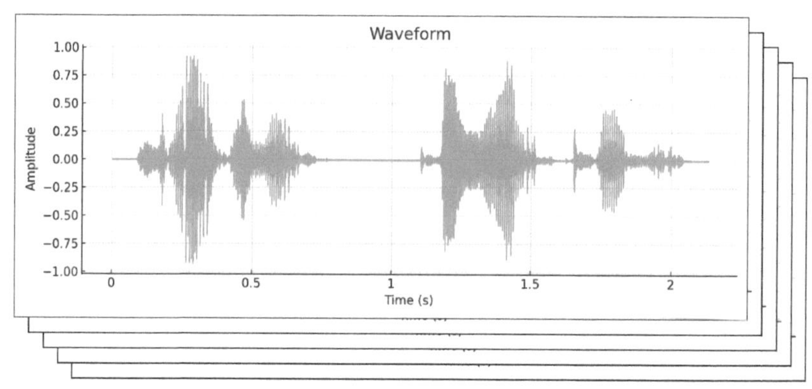

これらの音声ファイルの編集や加工は、もちろん専用のソフトを使ったり、自分でプログラムを作ることでも実現できます。ただ、筆者も経験があるのですが、音声の編集は、OSによって使用できるソフトが異なったり、使い方を調べるのが大変だったりと、なかなかやりたいことにたどり着くまでが大変です。

それが、**簡単な指示（プロンプト）で実行できる上に、ファイルの一括処理といったプログラムを組むのが面倒な作業まで簡単にこなせるのは、とても手軽で便利です。**

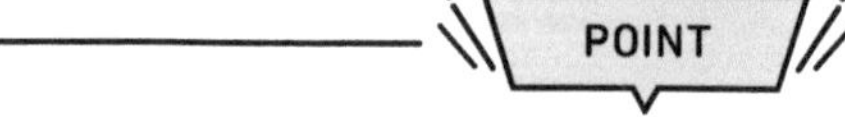

- **シンプルなプロンプトで音声ファイルの編集・加工ができる。**
- **ファイルの一括処理も、簡単に実現できる。**

丸投げ！　PowerPointスライド作成

ChatGPTを使うことで、ゼミのスライドのたたき台作りも爆速で終わりました。

作る前に確認もしてくれるし、ライスくんより有能じゃない？

何を言うんですか、ChatGPTは、もうすでに私の一部なのです。

ChatGPTを使ってのスライドの「たたき台作り」はとても便利です。

- **ChatGPTが知っていることからPowerPointのスライドを作る**
- **WebサイトやPDFファイルなどを読み込ませてPowerPointのスライドを作る**

といった、便利な使い方ができます。

8.1 スライドの作成

ChatGPTでPowerPointファイルの作成や読み込みができます。

ChatGPTは、知っていることをまとめることができるので、スライドのテーマを与えれば、それについてPowerPointファイルにまとめることができます。この節ではその方法を紹介します。

スライドの作成：テーマにもとづく方法

ChatGPTで、特定のテーマをもとにスライドの作成ができます。たとえば、ChatGPTの特徴に焦点を当てたスライドの作成を指示してみます。

ChatGPTの特徴を1枚のPowerPointのスライドにまとめたいです。Pythonを使って書き出してください。

ChatGPTの主な特徴を1枚のPowerPointのスライドにまとめました。以下のリンクからダウンロードできます。
ChatGPTの特徴のプレゼンテーション[>_]

このスライドをダウンロードし、表示したのが**図8.1**です。

図8.1 **ChatGPTが作成したスライド**

ChatGPTの特徴

- 1. 自然言語理解: 人間のように文章を理解し、対話
- 2. 多様な応用: 質問応答、文章生成、機械翻訳など
- 3. 拡張性: 特定のタスクに合わせて調整可能
- 4. 大規模なデータトレーニング: 大量のテキストデータ学習
- 5. 安全と倫理: ユーザーとの対話を安全に行うガイドライン

ChatGPTの特徴が箇条書きでよくまとまっていることがわかります。

ChatGPTが知識を持っているテーマなら、なんでもスライドにできるね！

うまくいかないときは、繰り返しボタンを押したり、手動で配置の修正をしたりしてみてね。

PowerPointの読み込みと、拡張

先ほど作成したPowerPointのファイルをアップロードして、さらに詳しいスライドにするように指示をしました。

これはChatGPTの特徴をまとめたPowerPointのスライドです。
これを読み込み、「自然言語理解」の項目についてさらに詳しい内容にして、2枚目のスライドにまとめてください。

読み込んだスライドの内容は以下のとおりです：

新しいスライドに「自然言語理解」に関する詳細な内容を追加しました。
以下のリンクから更新されたプレゼンテーションファイルをダウンロードできます。
更新されたChatGPTの特徴に関するプレゼンテーションファイル

追加されたスライドが**図8.2**です。

図8.2　自然言語理解について詳しい内容をまとめたスライド

自然言語理解について

- ChatGPTの自然言語理解は、人間のような文章の理解と対話を可能にします。
- 主な特徴:
- - 言語の構造と意味を理解
- - 多種多様な質問に対する応答
- - 文脈に基づいた適切な返答
- - 独自のタスクに合わせた調整が可能

ChatGPTのシステム上、毎回違った内容が出力されるから、ぜひ何回か試してよい内容を選んでみてね。

PowerPointのスライドを読み込み、その内容を踏まえて、さらに詳しいスライドを作成することができました。

このように、**ChatGPTが知識を持っている項目についてのまとめを指示することで、効率的にスライドを作成することが可能です。**

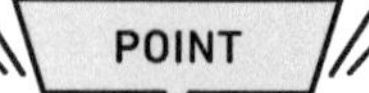

- **ChatGPTがまとめた内容を、PowerPointに書き出すことができる。**
- **読み込んだスライドの内容から、さらに詳しいスライドを作ることができる。**

8.2 Webサイトを要約してスライドにする

PowerPointの資料を作るときに、Webサイトを要約してスライドの形にする作業をChatGPTにしてもらうと、とても便利です。

説明するテーマが決まったら、**よくまとまっているページのURLをプロンプトに入れて、ChatGPTに「このWebサイトを要約してスライドを作って」と指示するとPowerPointの資料を作ることができます。**

Webサイトを要約してスライドを作る

OpenAIについて、スライドにまとめる必要がある場合を例にしましょう。

ウィキペディアのOpenAIのページ[1]の内容をもとに、スライドを作成したいので、1スライド目のタイトルと目次を考えるように指示します。

次のURLは、ウィキペディアのOpenAIについてのページです。
このページの内容をもとに、次のスライドの作成をします。
まずこのスライドの1スライド目のタイトルと目次を考えて教えてください。
#URL
https://ja.wikipedia.org/wiki/OpenAI

スライドの内容
・全部で3ページのスライド
・1ページ目はタイトルと目次
・2ページ目から3ページ目は簡潔な説明で、項目だけではなくスライドを読めばある程度理解できる内容
・スライドの読者はOpenAIを知らない人

[1] https://ja.wikipedia.org/wiki/OpenAI

もちろんです。スライドの構成を以下のように提案します。

1ページ目: タイトルと目次

- タイトル: "OpenAIの概要: 未来のAI技術への一歩"
- 目次:
  1. OpenAIの紹介と目標

この構成により、OpenAIを知らない読者でも、OpenAIの目標、歴史、主要な製品とサービス、技術的な進化、マイクロソフトとの連携などを簡潔に理解することができると考えます。

このように、スライドの構成案が出力されました。

これを確認して、問題ない内容であることが確認できたので、2ページ目と3ページ目の内容を具体的に出力するように指示します。

なお、このタイミングでの具体的な出力をせずに、直接スライドに書き出すように指示することもできますが、内容の修正をしたい場合があるので、一度出力をさせて確認し、内容がよければ書き出すようにするのが便利です。

いい内容ですね。
2ページ目と3ページ目の内容を具体的に教えてください。

もちろんです。以下は2ページ目と3ページ目の具体的な内容です。

2ページ目: OpenAIの紹介と沿革

OpenAIの紹介と目標

・**定義**: OpenAIは人工知能（AI）の開発を行っているアメリカの企業。

これらのページによって、読者はOpenAIの基本的な背景、主要な製品とサービス、技術的進展、マイクロソフトとの関係などについて明確な理解を得ることができるでしょう。

出力された2ページ目と3ページ目の内容も問題ないことが確認できました。修正してほしいところがあれば伝えて、満足がいくまで修正を繰り返します。

問題のない内容ができたら、スライドを作るように指示します。下書きの分量が多い場合、このまま書き出してくださいと指示しても表示した文章を削ってしまう場合がありました。そのため、「入り切らない場合は文字のサイズを小さくして」とプロンプトに入れておきます。

ありがとうございます。この内容でいいと思いますのでPythonを使ってスライドにして書き出してください。
入り切らなければ、文字のサイズは小さくしてください。

了解しました。3ページのスライドを作成し、書き出します。少々お待ちください。

スライドの作成が完了しました。以下のリンクからダウンロードしてご確認いただけます。
OpenAIの概要：未来のAI技術への一歩 (PPTX)
何か追加で修正や要望があれば、お知らせください！

「文字のサイズは小さくていい」と伝えたため、PowerPointでファイルを開くと、文字サイズが小さいことがわかります。また余白が多かったので、修正するように指示をします。

ありがとうございます。文字サイズが小さくなってしまったので、もう少しだけ大きくしてください。
項目ごとに余白が空いていますが、余白はなしにしてください。

了解しました。文字サイズを大きくし、余白を取り除いてスライドを再作成します。少々お待ちください。

スライドを更新しました。文字サイズを大きくし、余白を取り除きました。

以下のリンクからダウンロードしてご確認いただけます。
OpenAIの概要：未来のAI技術への一歩 (PPTX)
さらに何か修正が必要な場合、お知らせください！

OpenAIについて説明するスライドが書き出されました。スライドは**図8.3**の3枚のスライドとなっています（文字の配置は調整しています）。

図8.3 Webサイトを要約して作成したスライド

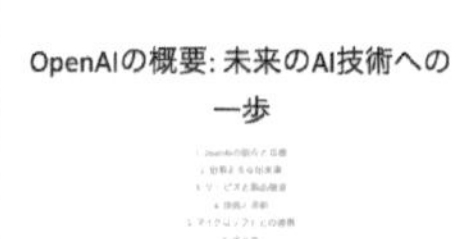

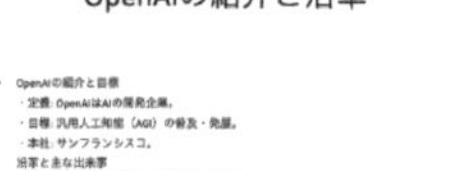

デザインが気になる場合は、手動で調整してください。3枚のスライドで、OpenAIについて、とてもよくまとまっている資料になっています。

Webサイトだけでなく、まとめてほしい資料などがあればそれで簡単にスライド案が作れそうだね！

完成したスライドにテンプレートを適用すれば、そのまま使えちゃいそう！

画像の挿入提案

ChatGPTで作成したスライドは文字だけのシンプルなものです。ChatGPTが画像を自分で取ってきて追加することはできませんが、どこにどんな画像を入れるべきかの提案はしてくれます。

なお、ChatGPTでスライドとは別に作成したグラフをスライドに追加することはできますので、その方法は13.2節で説明します。

先ほど作成したスライドをアップロードし、どのような画像を追加するといいか提案するように指示を行います。

これはOpenAIについてまとめた資料です。
内容を確認し、これに追加するといい画像を提案してください。

ありがとうございます。資料を確認させていただきます。少々お待ちください。

資料を確認しました。内容はOpenAIの概要、沿革、主な出来事、サービスと製品、技術と革新、マイクロソフトとの連携など、OpenAIに関する包括的な情報がまとめられているようです。

この資料に追加するといい画像の提案として以下のものが考えられます：

1. **OpenAIのロゴ**: 資料の最初の部分に配置し、ブランディングを強化するため。
2. **GPTシリーズの進化の図**: GPT-1からGPT-4までの技術の進化を視覚的に表現するため。
3. **DALL·Eの出力例**: DALL·Eによる画像生成のデモンストレーションとして。
4. **OpenAIとマイクロソフトの連携の図**: 両社の連携を象徴するシンボルや、共同プロジェクトの図解。
5. **地球と人類のイメージ**: OpenAIの目標である全人類への貢献を象徴する画像。

これらの画像は、資料の内容を視覚的に補完し、理解を深める助けとなるでしょう。特定のスライドに関連する画像が必要であれば、お知らせいただけますか？

ChatGPTの提案を確認し、Webから画像を探したり、画像を作成したりをお願いします。今回は「1.OpenAIのロゴ」と「5.地球と人類のイメージ」を採用する場合の例を紹介します。

ありがとうございます。OpenAIのロゴ画像をWebから探してください。

クイック検索から、これが見つけたものです。

OpenAIのロゴ画像は、ウィキメディア・コモンズにて見つけることができます。このロゴは、OpenAIのブランドアイデンティティを視覚的に表現する重要な要素です。また、OpenAIのブランドガイドラインによると、OpenAIのロゴやトレードマークはOpenAIの所有物であり、使用には特定のガイドラインが適用されます。ロゴの使用に関する詳細は、OpenAIの公式ウェブサイトで提供されているガイドラインを参照してください。

・OpenAIのロゴ画像は**ウィキメディア・コモンズ**で確認できます。
・OpenAIのブランドガイドラインに関する詳細は、**OpenAIの公式ウェブサイト**で提供されています。

5.地球と人類のイメージについて、イメージ画像を作成してください。

OpenAIの目標である全人類への貢献を象徴する画像を生成しました。この画像は、さまざまな文化や背景を持つ多様な人々が、AI技術を象徴する光に照らされた地球の周りに集まり、学ぶ、議論する、協力するなどの活動に従事している様子を描いています。統一感、進歩、希望の雰囲気があり、AIの進歩によってポジティブに影響を受けた世界を反映しています。

この画像の追加により、スライドをさらに魅力的に完成させることができます。このように、ChatGPTを活用することで、効率的なスライド作成が可能になります。

Webサイトをまとめてもらい、追加する画像を探したり作成したりしてもらう。スライドの作成作業がこれまでと変わってくるね！

POINT

- Webサイトのまとめてほしい箇所を貼り付け、その内容を要約してスライドを作成するよう指示することで、簡単にプレゼンテーション資料を作成できる。
- スライドをアップロードし、追加する画像を提案してもらい、それを探したり作成したりしてもらうという使い方もできる。

マニュアル不要でExcel操作

ライスくんも就職するまでにExcelの使い方には慣れておいたほうがいいわよ！

うーん。実は、やりたい操作があるたびに調べてはいるんだけれど、うまくできなかったり忘れちゃったりするんだ。

Excelファイルの作業も、人にお願いするように日常的な言葉で、ChatGPTにお願いできます。AI時代のExcelスキルを、実践しながら身につけていきましょう。

9.1 Excelファイルの読み込みとデータの確認

この節ではExcelをChatGPTで扱う方法を学んでいきましょう。

Excelファイルの読み込みとデータの確認

サポートページから経費のExcelデータ[1]をダウンロードしてください（**図9.1**）。

[1] 筆者が確定申告のために記録している実際のデータの一部です。

図9.1 経費のExcelデータ

日付	カテゴリ	金額
2021/01/01	書籍	¥1,089
2021/01/01	書籍	¥4,290
2021/01/01	書籍	¥809
2021/01/01	家電・電子機器	¥12,540
2021/01/01	家電・電子機器	¥15,950
2021/01/01	家電・電子機器	¥1,780
2021/01/02	書籍	¥250
2021/01/02	書籍	¥1,527
2021/01/09	その他	¥2,659
2021/01/22	書籍	¥2,453

ファイルを読み込む方法は、4.1節で実践したとおりです。以下のようなプロンプトで読み込み、中身を確認してみましょう。

sample_excel.xlsx
スプレッドシート

ファイルの中身を読み込んで確認してください。

ファイルには、日付、カテゴリ、金額という3つの列が含まれています。データの最初の5行は以下の通りです：

1. 2021年1月1日 - 書籍 - 1,089円
2. 2021年1月1日 - 書籍 - 4,290円
3. 2021年1月1日 - 書籍 - 809円
4. 2021年1月1日 - 家電・電子機器 - 12,540円
5. 2021年1月1日 - 家電・電子機器 - 15,950円

特定の情報を確認したい場合、またはデータに関する特定の分析を行いたい場合は、詳細を教えてください。

ファイルの説明をしてくれました。ChatGPTの回答の[>_]をクリックすると、結果としてファイルの中身の冒頭部分を読み込めていることも確認できます。

データの抽出

Excelファイルから特定のデータを抽出してみましょう。

金額が10000円以上のデータを抽出して表示してください。

金額が10,000円以上のデータを抽出しました。以下はそのデータです：

1. 2021年1月1日 - 家電・電子機器 - 12,540円
2. 2021年1月1日 - 家電・電子機器 - 15,950円
3. 2021年3月9日 - 家電・電子機器 - 12,800円
4. 2021年7月5日 - 家電・電子機器 - 25,179円

これらのデータをさらに解析したり、何か特定の操作を行いたい場合は、お知らせください。

結果を表示してくれました。さらに、「抽出した結果をExcelファイルに保存してください」とプロンプトを追加すれば、別のファイルに書き出すことができます。

別の例も試してみましょう。

カテゴリが「書籍」「サービス利用料」のものを抽出してExcelファイルに保存してください。

このようにお願いすれば、カテゴリごとの抽出も可能です。

上記のとおり、Excelの操作を日常的な言葉でお願いできることがわかります。

Excelを使っていて、やってみたい操作を思いついたらChatGPTに言葉でお願いするのが便利だね。

今後のために「今の操作をExcelを使って自分で行う方法を教えてください」とお願いしてみるのもオススメよ。

- **Excelデータの読み込み、抽出といった基本操作をプロンプトでお願いできる。**
- **編集したファイルの書き出しも簡単にできる。**

9.2 行と列の操作

行と列の操作を行ってみましょう。**Excelのマニュアルとにらめっこして調べないといけないような作業も、日常生活で使用している言葉で簡単にお願いができます。**

たとえば、行と列を入れ替えてみましょう。

アップロードしたExcelファイルの行と列を入れ替えて保存してください。

行と列を入れ替えたExcelファイルを保存しました。以下のリンクからダウンロードできます：

こちらからダウンロード

出力されたファイルをダウンロードし、中身を確認すると**図9.2**のように行と列が入れ替わっていることが確認できました。

図9.2 生成された行と列を入れ替えたExcelファイル

	0	1	2	3	4	5
日付	44197	44197	44197	44197	44197	44197
カテゴリ	書籍	書籍	書籍	家電・電子機器	家電・電子機器	家電・電子機器
金額	1089	4290	809	12540	15950	1780

続いて、Excelの行に対して、それぞれ補足情報を追記するために1行ごとに空白行を入れるという場合を考えます。このような作業が必要となったとき、**1つ1つ手作業でやっていくのは地味に面倒ですし、一度に行う方法を調べて試行錯誤するのも面倒で悩ましかったりします。そんな悩みともChatGPTがあればおさらばです。**

アップロードしたExcelファイルに1行ごとに空白の行を追加して保存してください。

見事に面倒なことをChatGPTにやらせることができました。

- 行と列の操作も、人にお願いする感覚で簡単にお願いできる。
- 調べるのが面倒な作業も、やりたいことを伝えると実現してくれる。

9.3 グラフを描く

Excelシートへのグラフの埋め込みを実施しましょう。

注意点は、単純に「グラフを描いてください」というプロンプトを使うと、ChatGPTがPythonのライブラリを使ってグラフを描いてしまうことです。今回は、Excelシートを再利用するためにグラフとして埋め込むことを目指します。そのため、以下のようなプロンプトを使います。

アップロードしたExcelファイルの金額を月ごとに集計した棒グラフをopenpyxlを使ってExcelファイルに埋め込んでください。グラフは日本語で描いてください。

ポイントは、openpyxlというライブラリを指定して、Excelファイルへの埋め込みを指示していることです。openpyxlというのはPythonでExcelシートを使うためのライブラリです。ここでは「そういう便利なライブラリがある」ということを知っておいてもらえれば問題ありません。

このプロンプトを使えば、**図9.3**のようなグラフが埋め込まれます。失敗するケースもありますが、その場合は何度かやり直すか、間違いを指摘すると修正してくれます。

図9.3 Excelシートに埋め込まれた棒グラフ

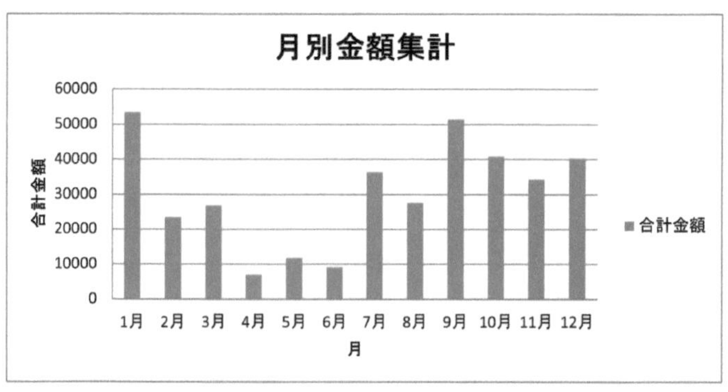

ChatGPTを使ったさらに高度なデータ分析に関しては11章、12章で扱いますので、そちらも参考にしてみてください。

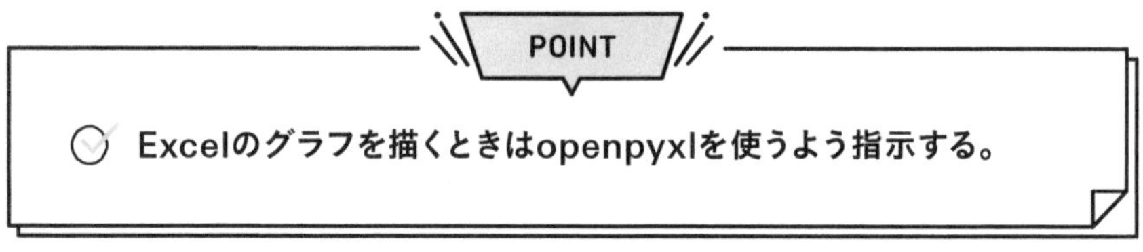

9.4 関数の入力

続いて、ChatGPTにExcelの関数を書いてもらいましょう。Excelの関数を教えてもらうことはChatGPT単体でもできますが、プロンプトを工夫することで、Excelファイルを読み込み、関数をシートに書いてもらうことまでできます。

具体的には、以下のようなプロンプトでお願いします。

以下の手順に従って、アップロードしたExcelファイルを処理してください。

手順："""
・A列にある日付データをもとに、C列の金額を月ごとに集計するExcelの関数を考えてください。
・openpyxlを使用して、同じシートのE列1行目から12行目に2021年1月から2021年12月までの月とF列に月ごとの集計結果を追加してください。
・関数のみを追加し、値ではなく計算式をシートに記入してください。
・各月の日数が異なる点に注意して、集計範囲を適切に設定してください。
"""

出力されたExcelファイルをダウンロードして、ファイルを開くと金額を月ごとに集計している表が作成されていました（**図9.4**）。

図9.4 **Excelの関数を含んで生成された表**

2021-01	¥53,398
2021-02	¥23,371
2021-03	¥26,678
2021-04	¥7,095
2021-05	¥11,799
2021-06	¥9,134
2021-07	¥36,277
2021-08	¥27,714
2021-09	¥51,468
2021-10	¥40,860
2021-11	¥34,221
2021-12	¥40,339

Excelを確認すると、**図9.5**のようにExcelの関数を使って書かれています。そのため、元シートの金額の値を変更すると、こちらの表にもちゃんと変更が反映されます。

図9.5　**生成されたExcelの関数**

```
=SUMIFS(sheet!C2:C148, sheet!A2:A148, ">=2021-01-01", sheet!A2:A148, "<=2021-01-31")
```

プロンプトのポイントは、Excelの関数を使うことを強調することです。そうしないと単純に計算した結果の値を入力してしまうので、Excelファイルの再利用ができなくなってしまいます。

また、ChatGPTには、Excelを動かす環境が2023年11月時点では備わっていないため、ChatGPTは関数の結果を自分でチェックすることができません。そのため、**Excelの関数を書いてもらったときは、結果が正しいかはとくに注意して確認しましょう。**

確認方法は、9.3節で実施したグラフでの計算結果と比較したり、より確実には実際に自分で手計算をして確認するのがよいでしょう。

「せっかくChatGPTにExcelの関数を作ってもらったのに、手間がかかったら意味がない」と思うかもしれませんが、**したい操作をExcelの関数の形におこすという手間が削減できるうえ、Excelファイルは再利用できるので、何度も使えば十分に効率化することができます**（今回作成した関数には年が含まれているので、別の年に再利用する際は注意してください）。

最初にしっかりとチェックしないと、間違った結果をずっと使い続けることになり、内容によっては被害は甚大になります。おさえるべきところは、しっかり人間がおさえることが重要です。

また、Excelファイルに機密データが含まれていて、インターネットにアップロードできないケースでも、**たとえばダミーのデータを入れたExcelファイルで、関数だけ作ってもらえば、データの機密を守ってChatGPT活用もできそうですね。**

Column

ChatGPTの作成したExcel関数が誤っていたら?

ChatGPTがExcel関数を作るのに失敗した例に、**図9.6**のようなものがありました。

図9.6 **Excelの関数の生成に失敗した表**

月	合計金額
2021-01	¥53,398
2021-02	¥0
2021-03	¥26,678
2021-04	¥0
2021-05	¥11,799
2021-06	¥0
2021-07	¥36,277
2021-08	¥27,714
2021-09	¥0
2021-10	¥40,860
2021-11	¥0
2021-12	¥40,339

この表のどこがおかしいかわかる？

2月、4月とところどころ0円の月があるね、なんでだろう……。

あっ！　0円になっているのはどれも31日までない月だ！

そうね。こういうこともあるから、きちんとチェックする必要があるの。ちなみにこの場合は「2月、4月、6月、9月、11月が0となっていて正しくないようです」と教えれば、自分で理由に気づいて直してくれたわ。

ChatGPT、ちゃんと月と日の関係を理解しているんだ。賢いなぁ。

POINT

- **Excelの関数を書いてもらうときは、プロンプトでExcelの関数を使うことを強調する。**
- **ChatGPTにはExcel環境がなく、結果の確認ができないため、とくに結果のチェックが重要。**
- **うまくExcelファイルを再利用できれば、機密を守ったままChatGPTで業務を効率化できる。**

WordファイルとPDFファイルの便利技

文章を扱うのはChatGPTが得意なのはボクだって知ってるよ！

プロンプトに文章を入力するだけじゃなくて、ChatGPTにテキストファイル、Wordファイル、PDFファイルといったさまざまなドキュメントファイルをファイルとしてアップロードすることもできて、とっても便利なの。たとえばPDFファイルも、そのままChatGPTに読ませることができるわよ！

PDFファイルをそのままで？　それは便利だね！

本章では、主にWordファイル文書、PDFファイルの文書をChatGPTで扱うときのテクニックを紹介します。

10.1 テキストデータの読み込みとWordファイルの生成

ChatGPTでドキュメントを扱う

ChatGPTでは文書（ドキュメント）をファイルとして扱うことができます。ChatGPTにプロンプトとして入力できるトークン数は2023年11月時点では32768で、日本語にすると2～3万字です。一方テキストデータとしてアップロードした場合、1ファイル512MBという大容量のファイル、**日本語の文字数にすると2億5600万文字（1文字2バイト換算）という膨大な量のデータ**

を扱うことができます。また、ドキュメントに対してデータ処理も実施できます。具体的には、PDFファイルの読み取りや、ファイル形式の変換です。

まずは、テキストデータとして使いやすい青空文庫[1]のデータを使ってみます。夏目漱石の『こころ』のデータ[2]を題材として使います。サイトの「773_ruby_5968.zip」をダウンロードしましょう（**図10.1**）。

図10.1 青空文庫からのファイルのダウンロード

ファイルのダウンロード

ファイル種別	圧縮	ファイル名（リンク）	文字集合／符号化方式	サイズ	初登録日	最終更新日
テキストファイル(ルビあり)	zip	773_ruby_5968.zip	JIS X 0208／ShiftJIS	153688	1999-07-31	2010-10-31
エキスパンドブックファイル	なし	773.ebk	JIS X 0208／ShiftJIS	494460	1999-07-31	2002-01-15
XHTMLファイル	なし	773_14560.html	JIS X 0208／ShiftJIS	618230	2004-02-06	2010-10-31

「773_ruby_5968.zip」の中身はテキストファイルなので、ZIPファイルのままChatGPTにアップロードすることができます。

ここから、以下の作業を順に実施していきます。

- **ドキュメントの要約**
- **ファイル形式の変換**

ドキュメントの要約

ドキュメントの要約を行います。先ほど説明したように、ChatGPTはファイルとしては2億文字以上の長文を扱うことができます。ただし、ChatGPT自体に入力できる文章量は、ChatGPT自体のトークン数の制限を受けるため2～3万文字程度に制限され、文章全体をChatGPTで読み込むことはできま

[1] https://www.aozora.gr.jp/index.html
[2] https://www.aozora.gr.jp/cards/000148/card773.html

せん。

そのため、長文を要約する場合は、文章の分割をしてから要約します。具体的には、以下のようなプロンプトでお願いしましょう（分割する文字数は、文章に応じて調整してください）[3]。

アップロードした文章を10000文字ごとに分割してテキストファイルに書き出してください。

文章を10,000文字ごとに分割し、それぞれをテキストファイルとして保存しました。以下のリンクからダウンロードできます：

Chunk 1
Chunk 2

Chunk 18
Chunk 19

各ファイルをクリックしてダウンロードしてください。

分割したファイルを書き出したら、3つずつ要約します。ここで3つずつとしているのは、大量に要約させるとChatGPTがエラーを起こすことがあるためです。

[3] 5.1 節でも説明したとおり、テキストファイルには、エンコーディングというさまざまな形式があり、正しいエンコーディングで読み込まないとテキストとして読み込めないというやっかいな問題があるのですが、ChatGPT は読み込めない場合、正しいエンコーディング形式を試行錯誤して見つけて文字数を教えてくれます。

分割したファイルをChunk 1からChunk 3まで順番に要約してください。

Chunk 1 要約
「こころ」の最初の部分では、語り手が「先生」という人物を紹介し、彼との関係を説明しています。語り手は、先生を敬愛しており、彼を独特な尊敬と親しみを込めて「先生」と呼び続けています。この部分では、語り手と先生の間の関係の性質、および語り手の先生に対する深い敬意と好奇心が描かれています。先生との出会いが鎌倉であり、そこでの彼らの初期の交流が描写されています。
Chunk 2 要約

このようにして、3つずつ要約していくことで文章を最後まで要約できます。

いちいちファイルに書き出さないといけないんだ、AIなんだからそれくらい覚えておいてほしいよね。

大量の仕事は、分割してメモして焦らず1つずつ片付けるのが成功のコツよ。人間と似てるわね。そういえば、この前頼んだ買い物してくれた？

あ、忘れてた……メモしておきます！

ファイル形式の変換

次に、ドキュメントのファイル形式の変換をしてみましょう。新しい会話を開始して、再度『こころ』のテキストファイルをアップロードし、以下のプロンプトでお願いしてみます。

ファイルをWordファイルに変換してください。

このプロンプトによってファイル形式をWord形式に変換することができます。Word形式以外の、PDFやMarkdownといった異なるファイル形式にも変換可能です。

ただし、PDFファイルに変換する場合、日本語フォントがChatGPT環境にないため文字化けしてしまいます。そのため、6.4節と同じように、日本語フォントをアップロードするテクニックを使用します。

具体的には、以下のようなプロンプトを使います。

773_ruby_5968.zip
Zip アーカイブ

NotoSansJP-Regular.ttf
ファイル

アップロードした文書ファイル「773_ruby_5968.zip」を日本語フォント「NotoSansJP-Regular.ttf[4]」を使ってPDFファイルに変換してください。文字がきちんとページの中に収まるように、文字サイズを調整してください。

出力されるリンク先からPDFファイルをダウンロードできます。

このように、専用のソフトをインストールすることなく、ドキュメントをさまざまなファイル形式に変換できるのは便利ですね。また、今まで画像や音声でも実施したように、大量のファイルに関して一括で変換するというようなことも簡単にできます。長い文章だと失敗することがあるので、そのときはファ

[4] Noto Sans Japanese（https://fonts.google.com/noto/specimen/Noto+Sans+JP）

イルを分割して変換してみてください。

- ChatGPTにアップロードすることでドキュメントファイルの長文要約やファイル形式の変換が可能。
- ChatGPTには512MBまでのドキュメントをアップロードできる。

10.2 PDFファイルの読み込み

ChatGPTには、PDFファイルをアップロードし、ファイルを読み込んだり、要約したりすることができます。

ファイルの読み込み

例として令和5年版情報通信白書[5]の第5章第1節「総合的なICT政策の推進」のPDFファイルを読み込んでみます。

日本語が使われているPDFファイルの場合は、日本語が使われていることを伝え、「PDFMiner」というライブラリを使って読み込むように指示する必要があります[6]。

[5] 「令和5年版情報通信白書（PDF版）」（総務省）（https://www.soumu.go.jp/johotsusintokei/whitepaper/ja/r05/pdf/index.html）（2023年9月13日に利用）
[6] 使うライブラリを指示しない場合は、「PyPDF2」というライブラリを使われることが多く、その場合は日本語のPDFの文字を認識してもらうことができませんでした。

n5100000.pdf
PDF

これは日本語の文書が書かれたPDFファイルです。PDFMinerを使ってこのPDFファイルを読み込み、書かれていることをそのまま表示してください。

PDFMinerを使用して、アップロードされたPDFファイルを読み込み、内容を表示します。少々お待ちください。

PDFファイルの内容は長いため、全文を表示することはできませんが、最初の部分を以下に示します。

/—-

第5章
総務省における
ICT政策の取組状況

第1節 総合的なICT政策の推進

1 現状と課題
1 少子高齢化、人口減少の進行

我が国では少子高齢化が進行しており、今後も人口減少が続くことが見込

/—-

PDFの全文を読む必要があれば、テキストファイルとして保存して提供することもできます。どうしますか?

この該当部分のPDFファイルは**図10.3**のとおりです。太字や白い文字となっている個所も、正確に読めていることがわかります。

図10.3　**令和５年版情報通信白書第５章第１節のPDFファイル**

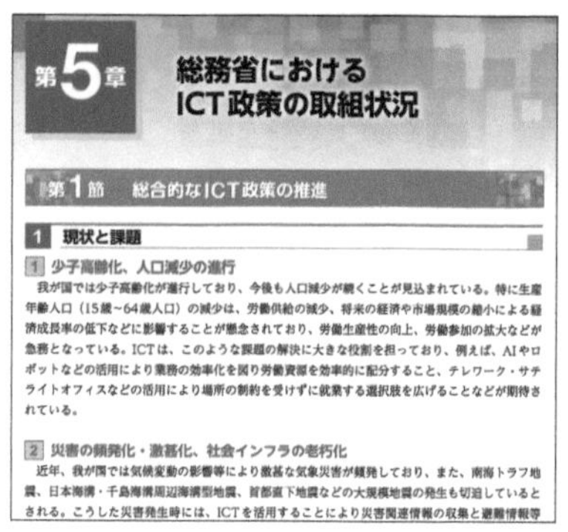

第5章　総務省における ICT政策の取組状況

第1節　総合的なICT政策の推進

1　現状と課題

1　少子高齢化、人口減少の進行

我が国では少子高齢化が進行しており、今後も人口減少が続くことが見込まれている。特に生産年齢人口（15歳～64歳人口）の減少は、労働供給の減少、将来の経済や市場規模の縮小による経済成長率の低下などに影響することが懸念されており、労働生産性の向上、労働参加の拡大などが急務となっている。ICTは、このような課題の解決に大きな役割を担っており、例えば、AIやロボットなどの活用により業務の効率化を図り労働資源を効率的に配分すること、テレワーク・サテライトオフィスなどの活用により場所の制約を受けずに就業する選択肢を広げることなどが期待されている。

2　災害の頻発化・激甚化、社会インフラの老朽化

近年、我が国では気候変動の影響等により激甚な気象災害が頻発しており、また、南海トラフ地震、日本海溝・千島海溝周辺海溝型地震、首都直下地震などの大規模地震の発生も切迫しているとされる。こうした災害発生時には、ICTを活用することにより災害関連情報の収集と避難情報等

このように簡単に、PDFファイルの内容を読み込ませることができました。また、読み込んだ内容をテキストファイルに保存したい場合は、「読み込んだすべてのテキストをテキストファイルに保存してください」という指示で保存することができます。

PDFファイルに図や表が含まれることがあります。この節で紹介したChatGPTの拡張機能であるAdvanced Data Analysisでの読み込みでは、図や表をうまく読み込むことができません。図や表を認識したい場合は、図や表を画像にして、6.3節で紹介したGPT-4Vでの画像認識を使うことができます。

ページの隅にあるページ数や見出しも、律義に読み込んでくれるから要注意よ！

POINT

- ChatGPTを使うことで、PDFファイルの文章を読み込むことができる。
- PDFファイル内の文章が日本語の場合は、プロンプトに「PDFMinerを使って読み込むように」と加える必要がある。
- 図や表の読み込みはできないものの、その標題は読み取ることができる。

10.3 PDFファイルの内容を要約する

PDFファイルの要約

プロンプトには次の要素を盛り込む必要があります。

- **日本語が含まれる文章である場合には、日本語をうまく認識するため「PDFMiner」を用いる。**
- **文章が多い場合には、1ページずつ要約を行う**（この指示がないと、はじめの500文字だけの要約になってしまうことが多い）。

「1ページずつ要約を行う」とかの文言を含める必要があるんだ。長文を要約するときのテクニックだね。

これらを踏まえ、次のように要約の指示をしましょう。

n5100000.pdf
PDF

これは全3ページの日本語で書かれたPDFファイルです。
PDFMinerを使ってこのPDFファイルを読み込んで全体を要約してください。
文章が長い場合は、1ページずつ要約を行ってください。

ページをそれぞれ要約してもらうことができました。

3ページのPDFファイルもあっという間に要約されちゃうね。

最後にこれらをまとめて、全体の要約をしてもらいましょう。

ありがとうございます。それではこれまでの1ページから3ページの要約から全体の要約を作成してください。

全体の要約

このPDFファイルは、総務省におけるICT政策の取組状況について詳細に説明しています。全体として以下の主要なテーマが取り上げられています。

1. **社会課題とICT**: 日本の少子高齢化、人口減少、災害の頻発などの社会課題に対して、ICTがどのように貢献できるのかについて述べられています。
2. **環境とエネルギー**: ICTの環境への影響と、そのグリーン化（エネルギー効率化と環境負荷削減）に関する取り組みが説明されています。

3. **地方活性化とデジタル田園都市国家構想**：地方と都市の格差を縮めるためのデジタル田園都市国家構想が提案され、その具体化に向けた取組が進められています。
4. **未来の方向性**：情報通信審議会による今後10年間のICT政策の方向性についての議論と答申が行われています。

以上のポイントを踏まえ、この文書は日本のICT政策の現状と将来についての包括的な概観を提供しています。とくに、社会課題の解決、環境保全、地方活性化におけるICTの役割が強調されています。

1ページずつ要約を行い、その要約から全体の要約を作ることができました。**このようにして長いPDFファイルであっても1ページずつの要約を繰り返し、そこから全体の要約を作成させることで、要約することができます。**

POINT

- **PDFファイルをChatGPTに読み込ませ内容を要約することができる。**
- **1ページずつ要約させることで、長いPDFファイルの場合も要約できる。**

10.4 PDFファイルのページの結合、削除、回転

ChatGPTを使って、PDFファイルのページの削除や追加や回転をすることができます。

ページの結合

2つのPDFファイルを統合して1つのPDFファイルにする、特定のページを削除するなどの操作をChatGPTに指示すれば、その指示のとおりChatGPTが実行してくれます。

次のプロンプトは2つのPDFファイルを結合した例です。

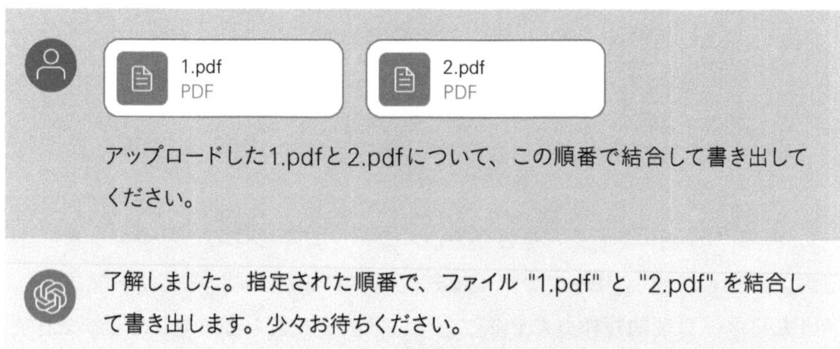

結合されたファイルをダウンロードすることができました。

ページの削除

指定のページを削除する場合は、削除したいページを具体的に指定します。

たとえば「3ページ目を削除してください」、「偶数ページを削除してください」というように指示することで、指定のページを削除することができます。

次の例は、PDFファイルの3ページ目と4ページ目を削除した例です。

merged.pdf
PDF

アップロードしたmerged.pdfについて、3ページ目と4ページ目を削除して、書き出してください。

了解しました。指定されたファイル "merged.pdf" から3ページ目と4ページ目を削除して書き出します。少々お待ちください。

3ページ目と4ページ目を削除したPDFファイルを書き出しました。**こちらからダウンロード**してご確認いただけます。

指定のページが削除されたPDFファイルをダウンロードすることができました。

ページの回転

次にPDFファイルを回転させてみましょう。

3ページ目と4ページ目のPDFファイルを90度右回転させてください。

3ページ目と4ページ目を90度右回転させたPDFファイルが作成されました。以下のリンクからダウンロードできます。
90度右回転させたPDFファイルをダウンロード

このようにして、**指定したページを90度、180度、270度と好きな角度で回転させることができます。**

PDFファイルの削除って、特別なツールが必要だったりするから、Webブラウザからサクッとできちゃうと便利だね。

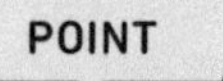

- **ChatGPTで、PDFファイルの結合、指定ページの削除、回転ができる。**

PART 3

ChatGPTでのデータサイエンス

Let ChatGPT
do the troublesome work
for you

CHAPTER 11

データからかんたんグラフ作成

お米一粒一粒の美味しさを可視化しました。

本当に？　いつの間にそんなスキルを！？

ChatGPTを手に入れたボクに、可視化できないものはありません。

ChatGPTを使うと、難しいプログラミングのコードを書かなくてもデータを簡単に可視化することができます。この章では、可視化の重要性を確認し、表形式のデータ、センサデータ、地理空間データ、運動データ、時系列データなどさまざまなデータの可視化を紹介します。

11.1 データの可視化の重要性

データの可視化はなぜ必要か？

データの可視化とは、目に見えない、もしくは見えにくいものを見えるようにすることをいいます。データサイエンスの分野では、データベースの生データ（たとえばテーブルデータという表形式のデータ）をグラフ化することを指すことが多いです（**図11.1**）。

図11.1 データの可視化とは

ナイチンゲールの「鶏冠」チャート

ではこのデータ可視化はなぜ重要なのでしょうか？　可視化の重要性を示した歴史的に有名な例としては、ナイチンゲールの「鶏冠」チャートが挙げられます（**図11.2**）。

図11.2 ナイチンゲールの「鶏冠」チャート [1]

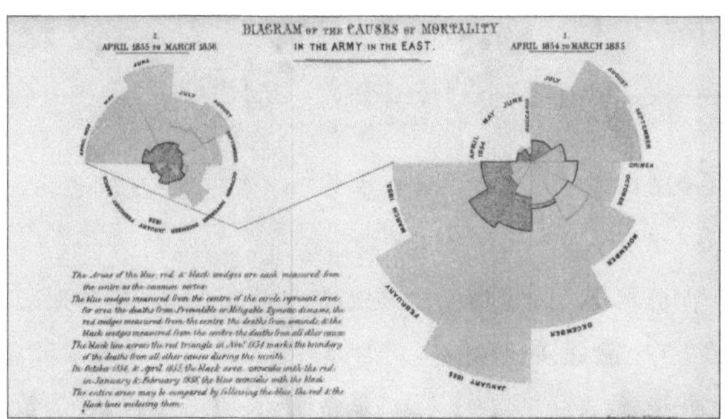

[1] フローレンス・ナイチンゲールによる「東部の軍隊の死亡原因の図」(1858年)、イギリス軍の死因を説明するための色付きの円グラフ（https://commons.wikimedia.org/wiki/File:Nightingale-mortality.jpg）

このグラフは東部の軍隊での死亡原因を示しており、実際の戦闘（赤）やその他の原因（黒）で死亡した人よりも、予防もしくは軽減可能な伝染病（青色）で死亡した人が多いことを直感的に表しています。これは、病院で兵士が死亡する原因の割合が、戦争によるものより病院の衛生状態の問題によるものの方が多いということを意味します。

ナイチンゲールのこのレポートは、最終的には国を動かし、病院の衛生状態の改善に繋がって多くの人の命を救うことになりました。

このように、**データの可視化の目的は、ものごとをわかりやすく理解することに加えて、意思決定の判断材料とすることにもあります。**データの可視化は、周りの人、場合によっては国すら動かすことができるほど重要なのです。**ChatGPTは、その可視化を手軽に実現できる、とても便利なツールです。**この章で、ChatGPTを使ったデータの可視化に取り組んでいきましょう。

戦争より病院の衛生状態が問題で人が亡くなるって、昔の話とはいえ、ひどい話だね。みんな気付かなかったのかな。

当時、他にも気付いていた人はいたかもしれないね。でも、人を動かすためには、分かりやすい情報が必要なのよね。

POINT

- **データの可視化は、データをグラフ化することである。とくに、表形式のデータをグラフ化することが多い。**
- **データの可視化は、データをわかりやすく理解する助けになるだけでなく、意思決定の判断のサポートにもなる重要な技術。**

11.2 基本的なデータ可視化技術

グラフの日本語表示

ChatGPTを使ったデータの可視化に取り組んでいきます。ChatGPTでグラフを描画するにあたって、**ChatGPTではグラフで日本語が扱えないという大きな問題があります。**

たとえば、9.3節で描いたグラフをExcelでなくChatGPTで描くと**図11.3**の赤枠部のようにグラフの日本語が文字化けしてしまいます。

図11.3 日本語が文字化けしてしまったグラフ

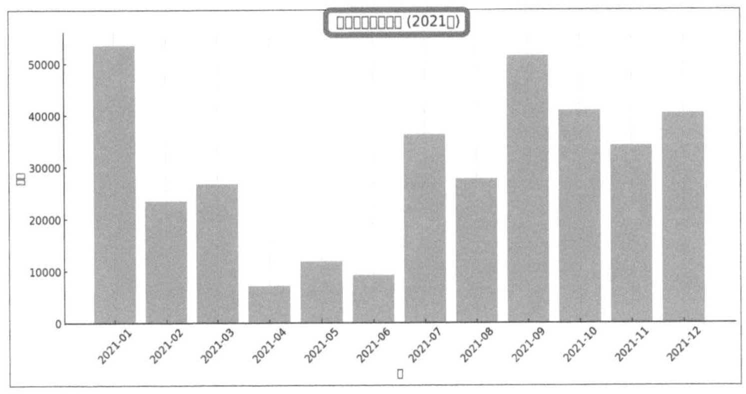

そのため、最初にグラフで日本語を使えるようにするテクニックを説明します。本書では、この後もグラフを作成する場面が何度もあります。グラフを日本語化するときは同じテクニックを使うので、ぜひマスターしてください。

グラフを日本語で描くためには、japanize-matplotlibという、グラフ描画ライブラリのMatplotlibを日本語化するライブラリを使用します。japanize-matplotlibのGitHubのリポジトリのアドレス[2]にブラウザでアクセスしてZIPファイルでダウンロードします。具体的には、右上の緑の「Code」ボタンをクリックしてから、**図11.4**のように「Download ZIP」の箇所をクリックすることでダウンロードできます。

図11.4 **Download ZIPの場所**

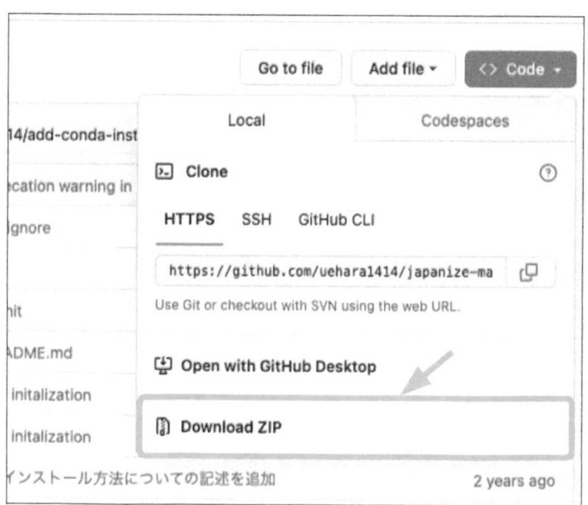

ダウンロードしたファイルをアップロードして、次のプロンプトを使います。サポートサイトにプロンプトをアップしていますので、コピー&ペーストして使ってみてください。

[2] https://github.com/uehara1414/japanize-matplotlib

japanize-matplotlib-master.zip
Zip アーカイブ

アップロードしたファイルを解凍して次のコードを実行してください。

```
'''
import sys
sys.path.append('/mnt/data/japanize-matplotlib-master/japanize-matplotlib-master')

import matplotlib.pyplot as plt
import japanize_matplotlib

plt.plot([1, 2, 3, 4])
plt.title('簡単なグラフ')
plt.show()
'''
```

了解しました。まず、アップロードされたファイルを解凍します。その後、指定されたコードを実行します。

ファイルを解凍しました。解凍したフォルダ内には `japanize-matplotlib-master` というサブフォルダが含まれています。

指定されたコードを次に実行します。

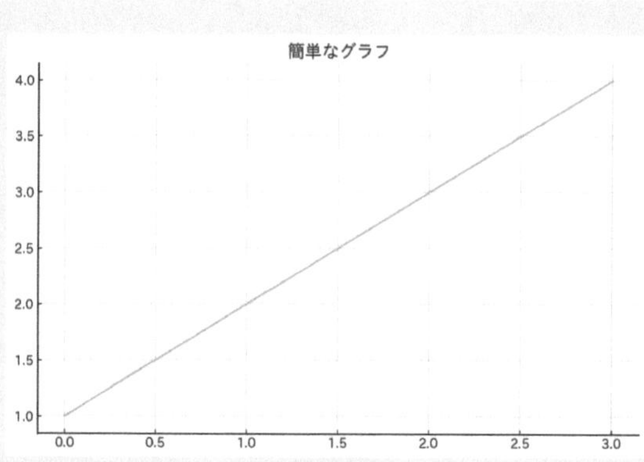

japanize_matplotlib を使用してグラフを作成しました。これにより、日本語のフォントが正しく表示されるようになりました。

これで日本語が表示できるようになりました。たまに、うまく日本語のグラフを描いてくれないときがありますが、その場合は何度か同じプロンプトを試してください。

一度うまくいけば、同じセッション（会話履歴）内では、日本語表示が有効になります。日本語のグラフを描く可能性がある場合は、最初に実行しておくのがおすすめです。

Excelデータのグラフ描画

グラフの表示のため、japanize-matplotlibによる日本語化を行った後、以下のようなプロンプトでグラフの描画をお願いします。グラフが英語になってしまう場合は、プロンプトに「グラフは日本語で描いてください」などの文言を付け加えてください。

アップロードしたExcelファイルの金額を月ごとに集計して棒グラフにしてください。

了解しました。アップロードしたExcelファイルを読み込んで、内容を確認します。

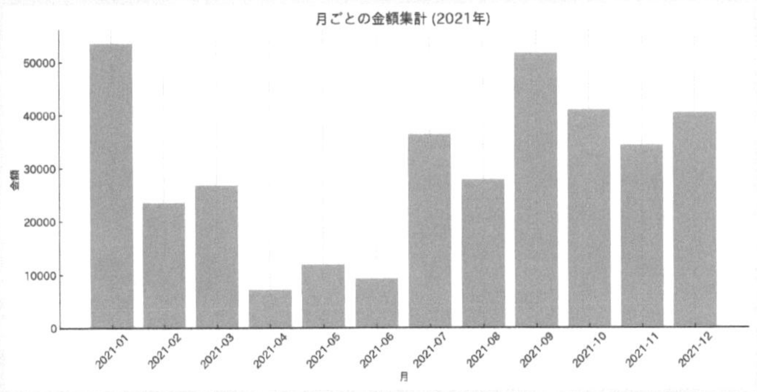

`japanize_matplotlib`を使用して、2021年の月ごとの金額を示す棒グラフを再度作成しました。今回のグラフは日本語のフォントで正しく表示されています。

簡単にグラフを表示することができました。別のグラフも試してみましょう。

カテゴリごとの金額を円グラフにしてください。

了解しました。カテゴリごとに金額を集計し、その結果を円グラフに表示します。

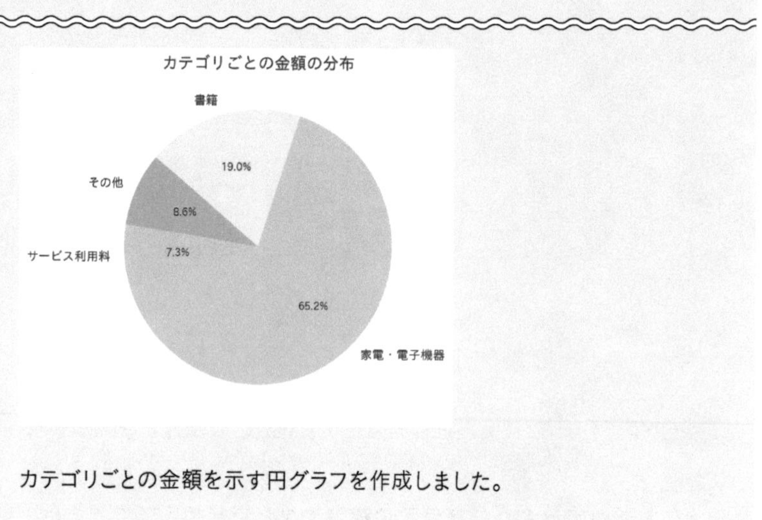

カテゴリごとの金額を示す円グラフを作成しました。

以下のようなプロンプトでグラフを自分の好みにカスタマイズすることもできます。

月ごとに集計した棒グラフを作成し、色を青にして、グラフの上に大きく数字を表示してください。

図11.5のとおり、要望どおりの表示ができました。

図11.5 生成された月ごとに集計した棒グラフ

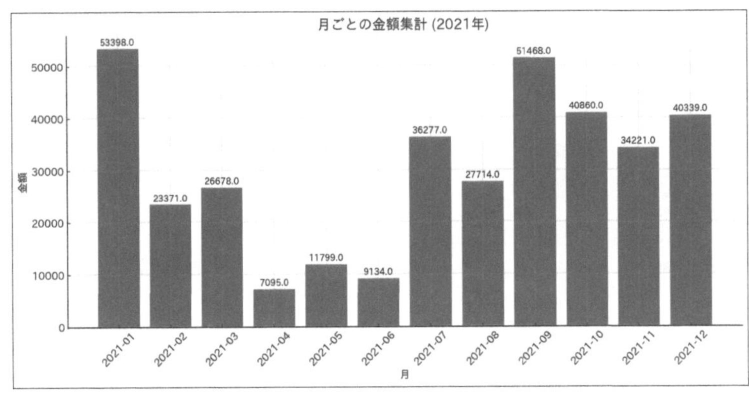

ChatGPTを使ってグラフを描きました。Excelの操作に慣れている人であれば「わざわざAIを使わなくても描ける」と思われるかもしれませんが、**日本語で人にお願いするようにグラフの種類や見た目を指示できるのは、新鮮な体験ですし、楽で便利だと感じる方も多いのではないでしょうか？** Excelの操作が得意ではない人は、ChatGPTを使ったほうが簡単にグラフを描けるかもしれません。

POINT

- japanize-matplotlibを使うことにより、ChatGPTで日本語のグラフを簡単に描ける。
- グラフの修正指示をプロンプトで簡単にChatGPTにお願いできる。

11.3 さまざまな可視化技術

データのさまざまな可視化技術

ChatGPTには、グラフ描画ライブラリのMatplotlibに加えて、手軽に高度な可視化ができるseabornというライブラリが搭載されており、多種多様な可視化手法を扱うことができます。

ここではChatGPTを使って描ける代表的なグラフを14種類紹介します。

- **折れ線グラフ**
- **棒グラフ**
- **円グラフ**
- **散布図**
- **ヒストグラム**
- **箱ひげ図（ボックスプロット）**
- **バブルチャート**
- **レーダーチャート（スパイダーチャート）**
- **積み上げ棒グラフ**
- **積み上げ面グラフ**
- **ヒートマップ**
- **3Dグラフ**
- **コンタープロット**
- **ペアプロット**

どんな種類のグラフがあるか分からなくなったときは、ChatGPTに「あなたが描けるグラフはどんな種類がありますか？」と聞くと教えてくれます。上記の14種類のグラフもChatGPTに聞いた回答です。

以下に代表的なグラフを描画します。ここからは、プロンプトと結果のグラフのみを列挙していきます。ここでは、簡単なプロンプトで手軽にさまざまなグラフを描けるということを知ってもらえれば十分です。データはChatGPTに生成してもらったものです[3]。

下記にプロンプトとグラフの作成例を紹介します。ChatGPTからのコメント（文章）は省略します。11.2節で実行したグラフの日本語表示を事前に実行してください（p.151のプロンプトを丸ごと実行します）。

折れ線グラフ

2000年から2020年までの架空の国の総人口推移に関して折れ線グラフを描いてください。

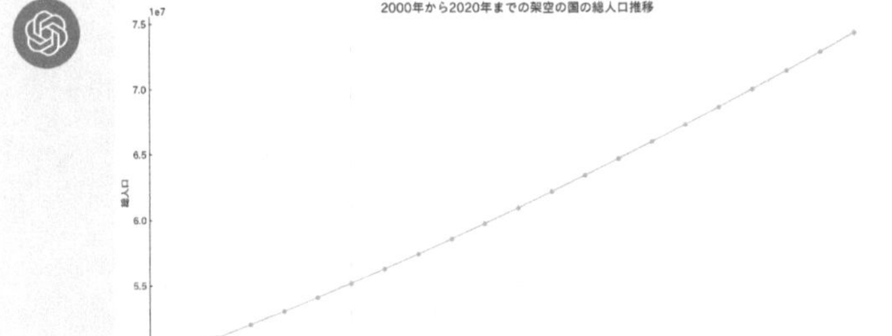

棒グラフ

153ページで作成したため、ここではプロンプト例のみの紹介とします。

[3] 1.4節で説明したように、ハルシネーション（ChatGPTがつくもっともらしい嘘）の可能性があり、必ずしも正しいデータではないことには注意してください。

2010年における架空の国の男性と女性の人口を棒グラフで描いてください。

円グラフ

153、154ページで作成したため、ここではプロンプト例のみの紹介とします。

2020年の架空の国の人口の上位10地域に関して、人口の割合を示す円グラフを描いてください。

散布図

架空の小学1年生の1クラスの児童の身長と体重の相関を示す散布図を描いてください。

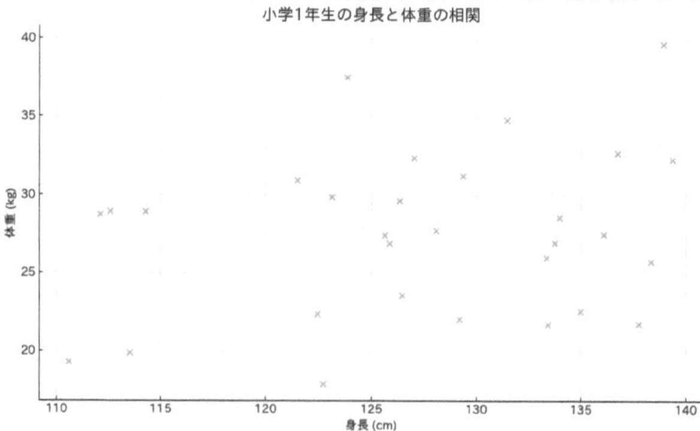

箱ひげ図

架空の小学1年生クラスにおける男児と女児の身長をそれぞれ箱ひげ図で表してください。

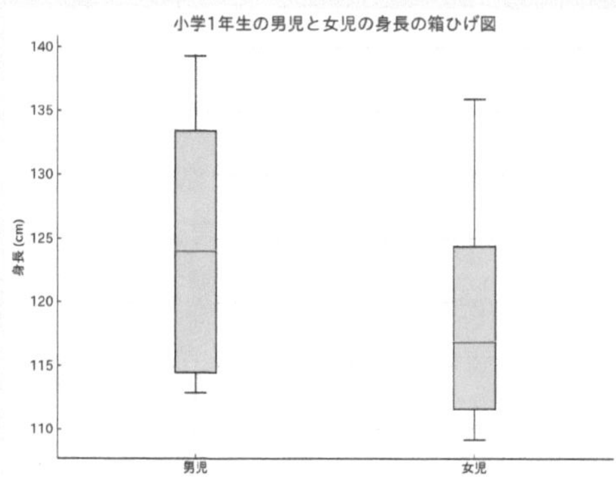

ChatGPTで基本的なグラフをいくつか描画しました。この後の節でも、具体例と合わせてさまざまなグラフを紹介します。その他の例として、Matplotlib公式のギャラリー[4]も参考になります。

また、これだけグラフがあるとどう選んでよいか分からないという方もいるかもしれませんが、心配する必要はありません。**分析したいデータをアップロードして分析の目的をプロンプトで指示すれば、ChatGPTがデータをもとに適切な分析手法を判断して、適切なグラフで可視化をしてくれます。**

グラフを描くことに面倒なイメージがあったけれど、こんなに楽に描けるならどんどん描きたくなりそう！

この後もどんどん出てくるから楽しみにしててね！

[4] https://matplotlib.org/stable/gallery/index.html

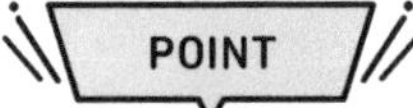

- ChatGPTを使うとさまざまなグラフを簡単に描ける。
- データをもとにChatGPTに使用するグラフを選んでもらってもよい。

アニメーション

自分で作ると少し手間のかかるような、アニメーションを使った可視化も簡単にできます。

正弦波のアニメーションGIFを作成してください。
サイズ・周波数・振幅・フレーム数・色などはおまかせします。

図11.6 生成された正弦波のアニメーション（矢印は時間推移）

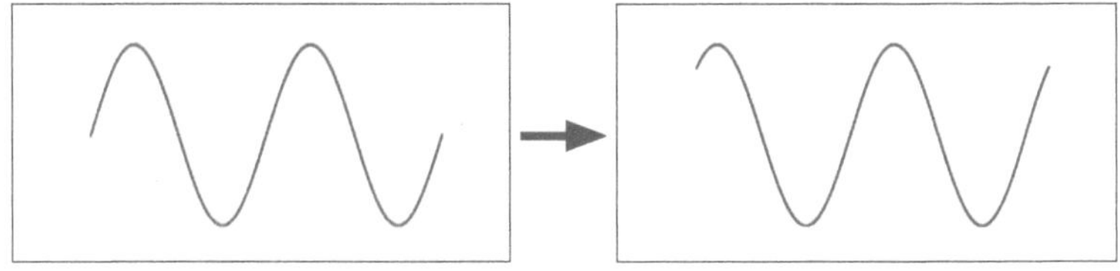

11.4 表形式のデータ

表形式のデータとは、Excelで表現することができるデータのことであり、テーブルデータや多次元データともいいます。各行が個々の観測値（データ）であり、縦方向がその観測値の属性（特徴）を表します。

表形式のデータの見方

図11.8の架空の売上のデータで説明します。実際に使用した売上データは、サポートサイトからダウンロード可能です。

図11.8 小売店の売上データ

日時	場所	性別	帽子	浮き輪	アイスクリーム	おにぎり	傘	合計金額
2023-08-01 10:00:00	江の島店	女	1	0	0	0	0	1200
2023-08-01 10:01:00	江の島店	女	4	0	1	0	0	5100
2023-08-01 10:03:00	江の島店	男	1	0	0	0	0	1200

この表は、2023年8月1日の小売店の売上データの一部です。2行目から4行目は、購入者と購入内容のデータを表しています。2行目のデータは、「2023年8月1日10時00分に女性が江の島店で帽子を1つ購入し、合計金額が1,200円」だったことを表します。

データを縦方向に分類する日時、場所、性別、帽子などを観測値の属性や特徴といいます。

表形式データの可視化

たとえば、合計金額のヒストグラムを作ってみましょう。ChatGPTに「2023年8月1日の合計金額について、ヒストグラムを作成してください」と指示すると**図11.9**のヒストグラムを作ってくれました。

図11.9 生成された2023年8月1日の合計金額のヒストグラム

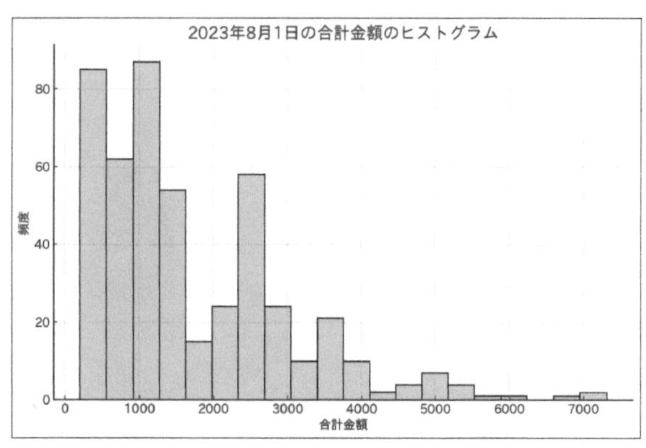

この日は、472人のデータがあります。合計金額のヒストグラムを作成することで、購入金額の分布がわかりました。

グラフにすると、合計金額が500円から1,500円ぐらいのデータが多いのと、2,500円ぐらいのデータが多いのがよくわかるね！

アイテムごとの販売数についても可視化してみましょう。ChatGPTに「2023年8月1日に各商品がいくつ売れたかわかるように可視化し、その数もグラフに表示してください」と指示します（**図11.10**）。

図11.10 生成された2023年8月1日の各商品の販売数のグラフ

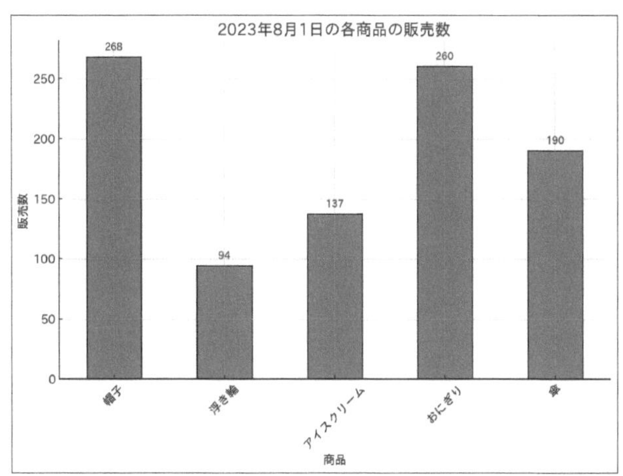

各商品の販売数の把握とその相互の大きさ比較が、ひと目でできるようになりました。

帽子とおにぎりの販売数はほぼ同じで、アイスクリームはその半分くらい。傘はアイスクリームよりもよく売れていて、浮き輪はアイスクリームよりも売れていない。すぐにわかったよ。

そう、データの数やその大きさの関係性を直感的に理解できるのが、可視化の大きなメリットね。

このデータのさらに詳しい分析は、12.1節で行います。

POINT

- 表形式のデータでは、各行が個々の観測値であり、縦方向がその観測値の属性(特徴)を表す。
- 表形式のデータをChatGPTにアップロードして可視化することで、データの特徴を把握することができる。

11.5 センサデータ

センサデータの分析

ChatGPTで、センサで取得したデータの分析にチャレンジしてみましょう。今回使用するセンサデータは、温度・湿度・気圧の時系列データとなります。これは、筆者が家庭菜園をしていたときに、Raspberry Pi（ラズベリーパイ）という小型のPCと温度・湿度・気圧センサを組み合わせて、実際に取得したデータです。

図11.11 Raspberry Piとセンサの画像

サンプルデータは、GitHubのリポジトリ[5]とサポートサイトにアップロードしています。ブラウザでURLにアクセスしてください（ブラウザで「GitHub denpa-gardening」と検索し、「sample_data」から「sample_data.csv」をクリックすることでもアクセスできます）。

アクセスすると**図11.12**のような画面が表示されます。表はセンサデータを表しています。右上の下矢印（↓）ボタンをクリックするとデータ（sample_data.csv）をダウンロードできます。

図11.12 **サンプルデータ（sample_data.csv）のダウンロード**

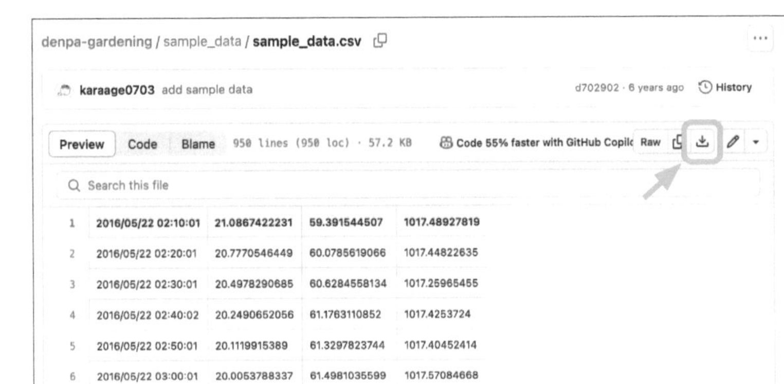

センサデータの可視化をプロンプトで指示します。日本語を表示するため、最初に11.2節で学んだグラフの日本語表示を実施しておきましょう。

続けて、以下のプロンプトでセンサデータのグラフを描きます。

[5] https://github.com/karaage0703/denpa-gardening/blob/master/sample_data/sample_data.csv

アップロードしたデータは、温度・湿度・気圧センサのデータです。それぞれのグラフを描いてください。

了解しました。アップロードされたデータファイルを読み込み、温度、湿度、および気圧の各データのグラフを描画します。

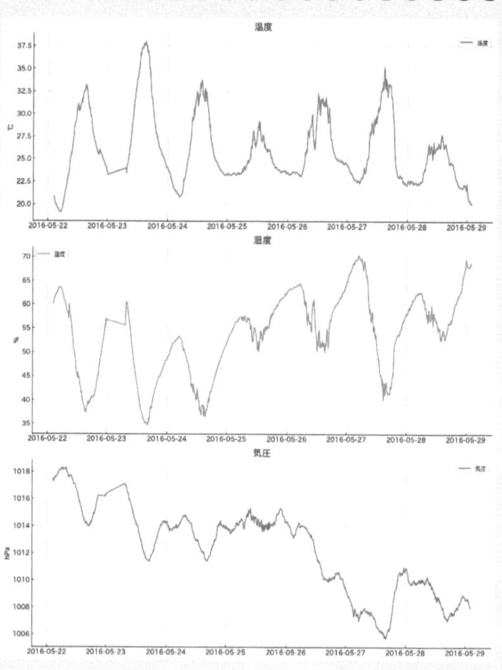

温度、湿度、および気圧のデータのグラフを描画しました。

簡単にグラフを表示することができました。**温度・湿度・気圧センサから取得したという情報とデータだけから、見やすいグラフを提案して表示してくれるのが嬉しいですね。**

さらにデータについて詳しく分析したい場合は、プロンプトでお願いしましょう。

このデータを詳しく分析してください。

了解しました。データの詳細な分析を行うために、以下のステップを実行します：

1. **記述統計**: データの中心傾向、ばらつき、形状を理解するための基本的な統計を提供します。
2. **欠損値の確認**: データ内の欠損値があるかどうかを確認します。
3. **トレンドの確認**: 時系列データのトレンドや季節性を確認します。
4. **相関分析**: 各変数間の関連性を確認します。

まず、記述統計を取得してみましょう。

データの記述統計は以下のとおりです：

- **温度**:
  - 平均: 26.05°C
  - 標準偏差: 3.92°C
  - 最小値: 19.08°C
  - 25パーセンタイル: 23.27°C
  - 中央値: 24.93°C
  - 75パーセンタイル: 28.55°C
  - 最大値: 37.95°C
- **湿度**:

次に、欠損値の確認を行います。

データには欠損値はありません。

次に、データのトレンドや季節性を確認するための時系列分析を行います。具体的には、データの移動平均や移動標準偏差を計算して、トレンドや季節性の変動を視覚的に確認します。

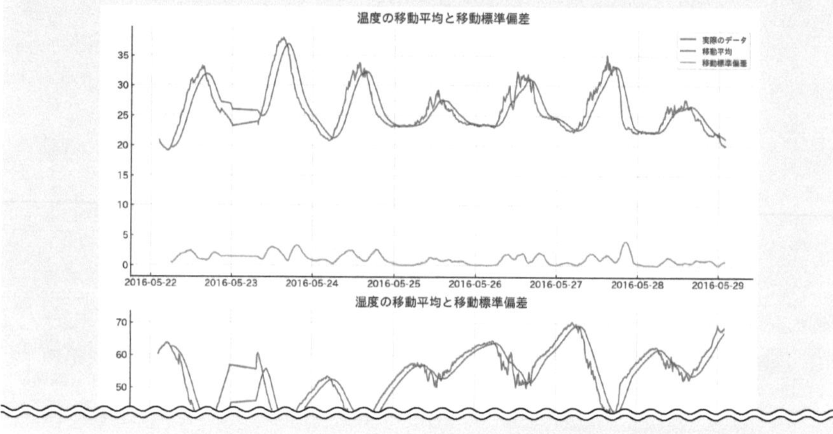

上記のグラフには、各センサーのデータの移動平均と移動標準偏差が表示されています。これにより、データのトレンドや変動を視覚的に確認することができます。

・**温度**：温度のデータは時間とともに変動しており、明確なトレンドや季節性が観測されます。

・**湿度**：湿度も時間とともに変動しており、トレンドや季節性がありそうです。

・**気圧**：気圧は比較的安定していますが、一部の時間帯での変動が観測されます。

最後に、各変数間の相関を確認します。これにより、変数間の関係やパターンを理解することができます。

各変数間の相関を以下に示します：

1. **温度と湿度**:
   - 相関係数: −0.7595

・これは、温度と湿度の間に強い負の相関があることを示しています。温度が上昇すると、湿度が低下する傾向があることを示唆しています。

以上の情報から、このデータセットにおいてもっとも顕著な関係は、温度と湿度の間の強い負の相関であることがわかります。これは、温度が上昇すると湿度が低下する傾向があることを示しています。

これにより、一つの変数の変動がもう一つの変数にどのように影響するかの洞察を得ることができます。これは、センサデータの解釈や、さまざまな環境条件下でのシステムの動作を予測する際に役立ちます。

これらの分析をもとに、何か他に質問やリクエストがありますか？

「詳しく分析してください」という曖昧なお願いで、非常に詳しく分析をしてくれました。

ChatGPTで、センサデータの分析と可視化が一瞬でできました。はじめて試す人だと、簡単なことのように思えるかもしれませんが、筆者がプログラミングに慣れないときに同様のデータの可視化をしたときは、半日がかりの作業でした。

そのときの手順をブログの記事にまとめた[6]のですが、Pythonのセットアップを含めると1万文字以上の文字量です。それがChatGPTを使うことでたった50文字以下のプロンプトで実現できてしまいます。実に200分の1の情報量です。ChatGPTの強力さを実感できる例でした。

ChatGPTで、センサのデータ分析だけじゃなくて、家庭菜園までやってくれたら便利なのにね！

手足がついたら家庭菜園までできちゃいそうだね。そしたらライスくんのやることがなくなっちゃうかも。

ふふふ、できた野菜を食べることに関しては当分AIには負けないぞ！

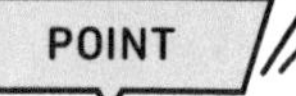

- ChatGPTで、センサデータの分析と可視化が簡単にできる。
- データとデータの情報があれば、使用するグラフなどを指定しなくてもChatGPTが適したものを選んでくれる。

11.6 世界地図・日本地図へのデータの可視化

ChatGPTで、地理データの分析にチャレンジし可視化してみましょう。今回使用するデータは、Podcastの国別・都道府県別の聴取割合データのサンプルです。

[6] https://karaage.hatenadiary.jp/entry/2017/05/25/073000

国別聴取率のデータから階級区分図を作る

ChatGPTにはGeoPandasというライブラリが入っており、これで世界地図を描くことができます。

「GeoPandasを使って世界地図を白地図で描いてください」と指示するだけで、**図11.13**の地図を描いてくれます[7][8]。

図11.13 生成された世界地図

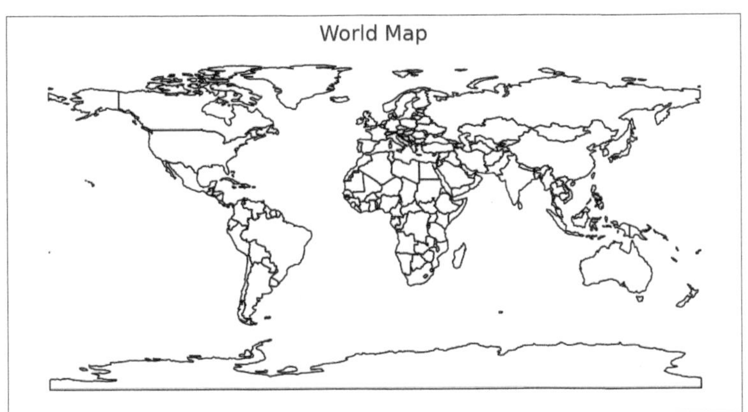

次にあるPodcastの国別聴取率データのサンプルをアップロードし、上位5カ国とその割合を表示します。実際に使用したデータは、サポートサイトからダウンロード可能です[9]。

[7] ChatGPTがGeoPandasを使用することができないという回答をすることもありますが、その場合には「GeoPandasを試してみてください」ともう一度伝えることで実行してもらうことができます。

[8] 日本語で表示したい場合は、11.2節で実行したグラフの日本語表示を事前に実行してください。本節では英語表記の図を作成しています。

[9] Spotify for Podcastersでダウンロードできるデータを参考に作成しました。

podcast_sample_data.csv
スプレッドシート

これはあるPodcastの国ごとの聴取率を示すデータです。データから上位5つの国名と数値を表示してください。

ファイルを確認しました。データを読み込み、Podcastの国ごとの聴取率に関する上位5位の国名と数値を表示します。

Podcastの国ごとの聴取率における上位5位の国名と数値は以下のとおりです：

1. **日本** - 聴取率40%
2. **アメリカ合衆国** - 聴取率23%
3. **ドイツ** - 聴取率10%
4. **イギリス** - 聴取率9%
5. **オーストラリア** - 聴取率5%

この5カ国の聴取率を、先ほどの世界地図に色を付けて表示してください。

もちろんです。上位5カ国のPodcast聴取率にもとづいて、世界地図に色を付けて表示します。少々お待ちください。

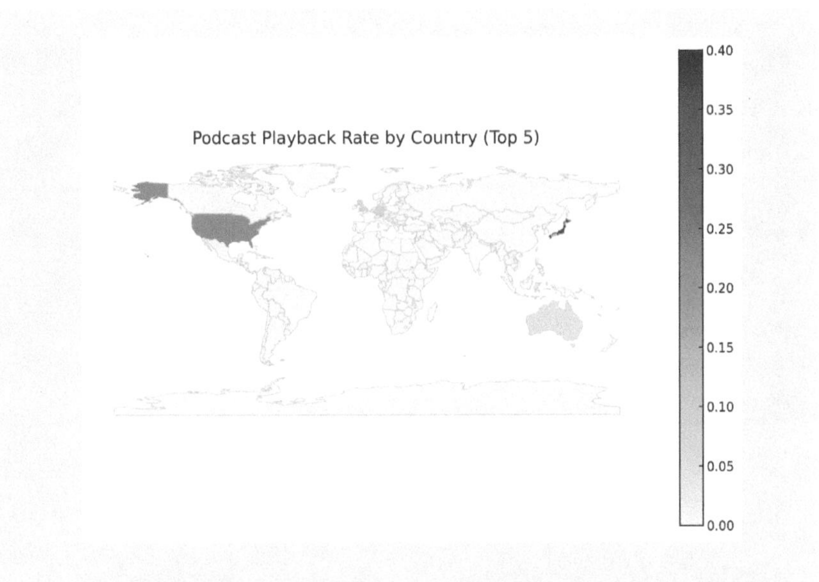

以上の地図は、上位5カ国のPodcast聴取率を示しています。色が濃いほど聴取率が高いことを表しています。

このように、ChatGPTを使えば、自分のデータを世界地図上に簡単に表示することができます。

「わが社の製品はこのようにアジアとヨーロッパで人気なのです」なんて、就職後のプレゼンで使ってみたいな！

なお、GeoPandasというライブラリを使う場合、国名は、アメリカはUnited States of America、コスタリカはCosta Ricaとしておく必要があるなど、事前にアップするデータを処理しておく必要があります。

この国名はChatGPTに「GeoPandasで描かれた地図に色をつけたいと思います。どのような国名にしておけば可能か一覧を出力してください」と指示すれば出力されます。

日本地図の準備

ChatGPTだけでは詳細な日本地図を描くことはできないため、日本地図を描くにはライブラリをアップロードする必要があります。ここでは、japanmapという日本地図のライブラリを紹介します。

japanmapのGitHubのページ[10]にアクセスし、右上の緑の「Code」ボタンをクリックしてから、**図11.14**の「Download ZIP」の箇所をクリックしZIPファイルをダウンロードします。

図11.14 **japanmapのGitHubからのZIPファイルのダウンロード**

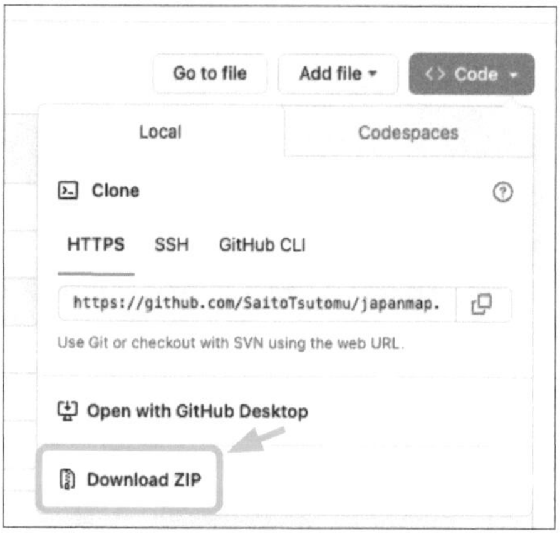

ダウンロードしたZIPファイルをChatGPTにアップロードし、次のように指示することで日本地図を描くことができます。プロンプトはサポートサイトに公開しているので、コピー&ペーストして使ってみてください。

[10] https://github.com/SaitoTsutomu/japanmap

これはjapanmapライブラリのZIPファイルです。
これを、/mnt/data/ フォルダに解凍してください。

その後、次のコードを実行してください。

```
'''
# japanmapライブラリのパスをPythonのモジュール検索パスに追加
import sys
sys.path.append('/mnt/data/japanmap-master')

# japanmapライブラリの利用を試みる
try:
    import matplotlib.pyplot as plt
    from japanmap import picture, get_data, pref_map

    # 色指定なしで日本の都道府県マップの画像を作成する
    pct = picture({})
    plt.imshow(pct)  # 画像を表示する
    plt.show()

except Exception as e:
    error_message = str(e)
'''
```

ライブラリが含まれるZIPファイルを解凍してインストールするという特殊な処理を、「インストールしてください」などの指示で行わせるのは難しく、このように行わせたいコードを書いてしまうのが早いです[11]。

[11] このコードは、筆者が直接書いたものではなく、ChatGPTが書いたものです。何度もChatGPTにZIPファイルを解凍してインストールするように伝え、インストールがうまくいったときのコードを利用しています。

e-Statのデータを加工し、地図上に描く

e-Stat[12]（日本の政府統計に関する情報のワンストップサービスを実現することを目指した政府統計ポータルサイト）からデータをダウンロードして、地図上に表示してみましょう。

ここでは、商業動態統計調査[13]にある都道府県別のコンビニエンスストアの販売額と、人口推計のデータ[14]から、人口あたりのコンビニエンスストアの販売額を可視化してみましょう。

e-StatからダウンロードできるExcel形式のデータは、空白行や説明のための文が入っていることがあります。その場合はExcelで不要な行やシートを削ったり、ChatGPTを使って綺麗にしたりしましょう。ここでは事前に2022年10月のコンビニエンスストアの都道府県別の販売額と店舗数、人口のデータを組み合わせて次の形式のデータを作成しました。このデータは、サポートサイトからダウンロード可能です。

図11.15 都道府県別のコンビニエンスストアの販売額、店舗数、人口

日付	都道府県	コンビニエンスストアの売上(百万円)	コンビニの店舗数	人口（千人）
2022年10月	北海道	51478	2994	5140
2022年10月	青森県	9127	611	1204

ここから、ChatGPTに可視化してもらいましょう。

japanmapで作成した日本地図への着色をする場合には、次のプロンプトのように「データの分布に応じて色を設定すること」「RGBのタプル（0から255の範囲）で設定し、それを確認すること」を含めると、うまく行ってもらうことができます。

また、2つの可視化を行いたいときは、次のようにプロンプトを分けて1つ

---

[12] 政府統計の総合窓口 (e-Stat)（https://www.e-stat.go.jp/）
[13] https://www.e-stat.go.jp/stat-search/files?page=1&toukei=00550030&tstat=000001081875
[14] https://www.stat.go.jp/data/jinsui/index.htm

のプロンプトで1つの可視化をすると、うまくいく確率が上がります。

convenience_store_data.csv
スプレッドシート

これは都道府県別のコンビニエンスストアの売上、店舗数、人口のデータです。
このデータを以下の要件で可視化してください。

要件: """
・人口1千人あたりの店舗数を計算し、先ほどの日本地図に階級区分図として表示する。
・階級区分図の色は、データの分布に応じて、大きい値を明るい色にする。
・japnmapライブラリでは、色の設定はRGBのタプル（0から255の範囲）で設定する必要がある。そのため、0から255の範囲で設定されているか確認する。
・図にカラーバーも表示する。
"""

次は以下の要件で可視化してください。

要件:"""
・人口1人あたりの売上額を計算し、先ほどの日本地図に階級区分図として表示する。
・階級区分図の色は、データの分布に応じて、大きい値を明るい色にする。
・japnmapライブラリでは、色の設定はRGBのタプル（0から255の範囲）で設定する必要がある。そのため、0から255の範囲で設定されているか確認する。
・図にカラーバーも表示する。
"""

この2つのプロンプトで次の2つの図が作成されました（**図11.16**、**図11.17**）。

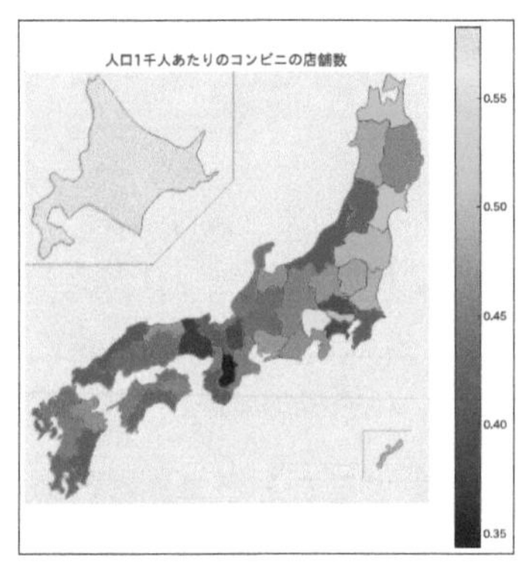

図11.16 **生成された人口1千人あたりのコンビニの店舗数の階級区分図**

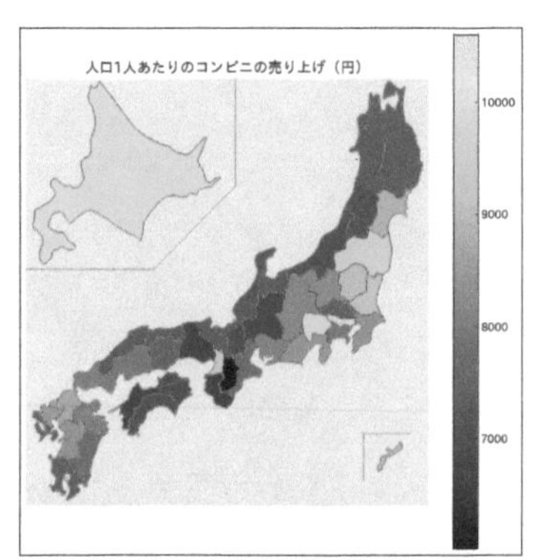

図11.17 **生成された人口1人あたりのコンビニの売上の階級区分図（円）**

人口1千人あたりのコンビニの店舗数の図から、北海道と山梨県の軒数が多いことがわかります。

また、人口1人あたりのコンビニの売上（円）の図から、東京都の売上が多いことがわかります。

e-Statの統計データを単に可視化するだけでも面白いですし、今回のように2つのデータを組み合わせることで、より興味深いインサイトを得ることができることがあります。

コンビニの店舗数、人口あたりでは北海道が多いなんて知らなかったよ！　公開されているデータから面白いことがわかるってすごいね。

POINT

- 世界地図や日本地図を描き、そこにデータを表示する使い方はとても便利。
- 日本地図は追加ライブラリのインストールが必要。japanmapのZIPファイルをアップロードし、プロンプトをコピー&ペーストするとよい。

11.7 ワークアウトデータ

スマートフォンやウェアラブルデバイスで出力することができる行動履歴を、ChatGPTを使って地図上に表示する方法を説明します。

詳細な日本地図を描く

次のプロンプトで、東京タワーを中心とした地図をHTMLファイルに出力することができます。

次のコードを実行してください。ただし、latitude, longitudeには東京タワーのものを使用し、マーカーとして'東京タワー'と表示してください。出力はHTMLファイルとして保存してください。

```
'''
import folium

# 地図の中心となる座標を設定（以下に上のプロンプトに応じて値を入れる）
```

```
latitude =
longitude =

# 地図を生成
m = folium.Map(location=[latitude, longitude], zoom_
start=14)

# マーカーを追加（以下のpopupにプロンプトに応じて値を入れる）
folium.Marker([latitude, longitude], popup='').add_
to(m)

# 地図をHTMLファイルとして保存
m.save('/mnt/data/map.html')
'''
```

HTMLファイルが書き出されるので、保存すると**図11.18**のような地図が表示されます。この地図は拡大・縮小ができとても便利です。

なお、ChatGPTが、「Foliumはインターネット環境ではないので使えない」と出力する場合がありますが、その場合も「HTMLファイルはローカルで使うので問題ない、失敗しても構わないので実施してほしい」と伝えることでHTMLファイルが出力されます。

プロンプトで今回は東京タワーと指定しましたが、他の場所の地図を描きたい場合は置き換える必要があります。また、ChatGPTが緯度経度を知らない場所の場合には、コードの「`latitude =`」の後に緯度、「`longitude =`」の後に経度、「`popup =`」の後に地図を表示したい文字を直接プロンプトに含めてください。

図11.18 作成されたHTMLファイル、東京タワー中心の地図

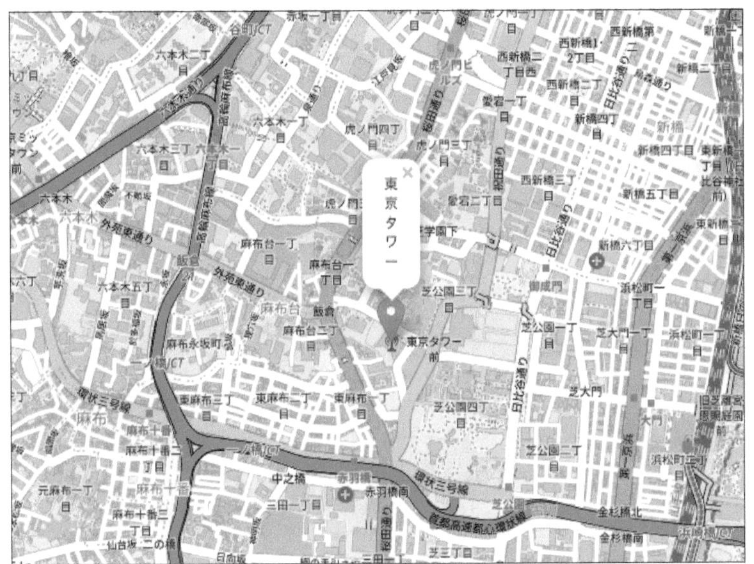

ワークアウトデータを地図に表示する

Apple Watchで取得したワークアウトの情報を、地図上に表示する方法を説明します。Apple Watchで取得したワークアウトの情報については、次の手順でダウンロードすることができます。

1. **iPhoneで「ヘルスケア」アプリを開く**
2. **iPhoneで右上のアイコンをクリック**
3. **「すべてのヘルスケアデータを書き出す」をクリック**
4. **ポップアップが出るので「書き出す」をクリック**

ダウンロードしたデータはZIPファイルになっており、ファイルを解凍すると、運動経路のデータがある場合「workout-routes」フォルダの中に、GPX形式のデータが入っています。筆者のある日のワークアウトのデータは、次のプロンプトで地図上に表示することができました。

Foliumが使えないというエラーを防ぐため、1つ前の東京タワーを表示するプロンプトを実施してから行いましょう。また、ChatGPTに「ライブラリが足りない」と応答されることがありますが、その場合は「他のライブラリで行ってください」と指示しましょう。

route_2020-02-21_7.20am.gpx
ファイル

このGPXファイルを「ElementTree」を使って読み込んでください。
Foliumを用いて地図に次の処理を行い、HTMLファイルに書き出してください。
・経路を表示する
・「開始」時刻と「終了」時刻を日本時間で表示する

ワークアウトの位置情報を表示した地図が表示されました（**図11.19**）。

図11.19　生成されたワークアウトの位置情報を表示した地図

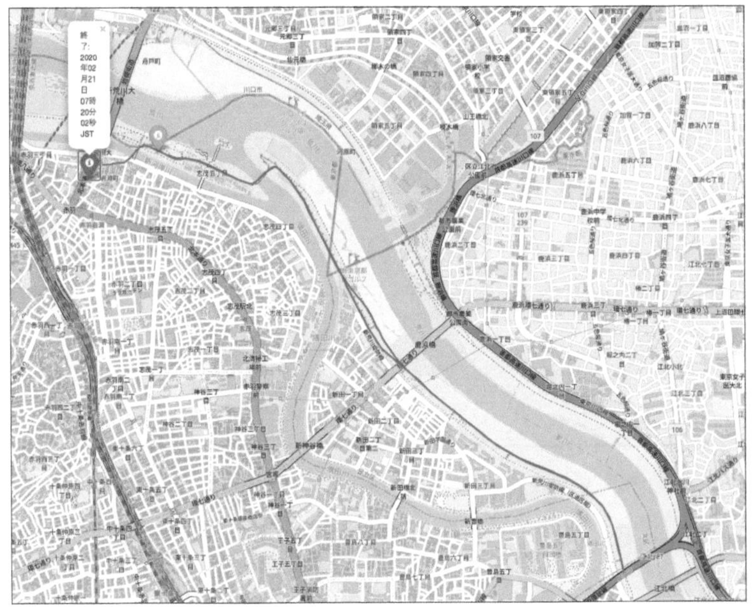

プロンプトに「『開始』時刻と『終了』時刻を日本時間で表示して」と含めたことで、マーカーが立てられ、このマーカーにマウスを乗せると、時刻が表示されます。なお、「日本時間で表示して」とプロンプトに含めない場合は、世界標準時で表示されます。

Apple Watchのワークアウトの記録がスマートフォンに残っているなんて知らなかったよ。自分の行動を地図に表示できるって面白いね。

iPhoneの専用アプリや他のウェアラブルデバイスでも行動履歴をダウンロードできるものがあるわ。持っている人は試してみてね。

POINT

- 詳細な日本地図を描きたいときは、Foliumというライブラリを使って、HTML形式で書き出してほしいというプロンプトを使う。
- 行動履歴を出力できるスマートフォンやウェアラブルデバイスなどのデータを、ChatGPTで読み込んで地図上に表示することができる。

11.8 時系列データ

この節では、時系列データの可視化技術について説明します。

時系列データとは

時系列データは、時間の経過とともに得られるデータを指します。具体的には、天気、株価、消費電力量、店舗の売上といった、私たちが日常で接する多くのデータがこれに該当します。

時系列データには、一定間隔で収集されること、季節ごと・曜日ごとなど一定の周期で繰り返されること、トレンド（上昇傾向、下降傾向など長期的なデータの動向を示すもの）が見られることなど、他のデータにはない特有の特徴があります。

とくに**時系列データの周期性やトレンドを発見するために、データを可視化することが重要です。**

時系列データの可視化

まずは厚生労働省が公開している、新型コロナウイルス感染症の新規陽性者数の推移（日別）[15]のデータを例にしましょう。

データの先頭5行は**図11.20**のデータとなっています（ダウンロードしたデータは、県名がアルファベットになっていましたが、わかりやすさのために漢字に修正しています）。このデータを、ChatGPTに可視化してもらいます。

図11.20 **新型コロナウイルス感染症の新規陽性者数の推移（日別）のデータ**

日時	全国	北海道	青森県	岩手県	宮城県	秋田県	山形県	福島県	茨城県	栃木県	群馬県	埼玉県	千葉県	東京都	神奈川県	新潟県
2020/1/16	1	0	0	0	0	0	0	0	0	0	0	0	0	0	1	0
2020/1/17	0	0	0	0	0	0	0	0	0	0	0	0	0	0	0	0
2020/1/18	0	0	0	0	0	0	0	0	0	0	0	0	0	0	0	0
2020/1/19	0	0	0	0	0	0	0	0	0	0	0	0	0	0	0	0
2020/1/20	0	0	0	0	0	0	0	0	0	0	0	0	0	0	0	0

newly_confirmed_cases_daily_japanese.csv
スプレッドシート

これは、新型コロナウイルスの全国と都道府県別での新規陽性者数のデータです。
このデータを可視化します。まず、全国の新規陽性者数の折れ線グラフを描いてください。

[15]厚生労働省ホームページ>オープンデータ（https://www.mhlw.go.jp/stf/covid-19/open-data.html）

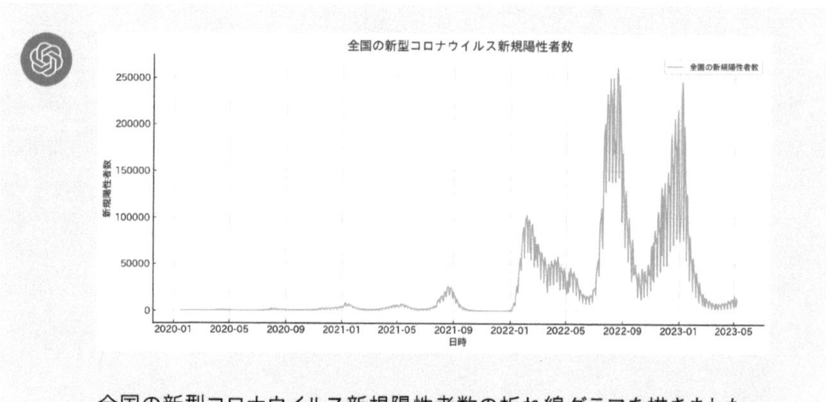

全国の新型コロナウイルス新規陽性者数の折れ線グラフを描きました。

全期間の全国の新規陽性者の折れ線グラフを描いてくれました。

折れ線グラフは、時間が経つごとに値がどのように変わるかを線で示しています。このグラフから、時間の経過とともに、増えたり減ったりを繰り返していることが一目でわかります。また、2022年以降の新規陽性者は、2021年以前の新規陽性者数に比べてとても多いことがわかります。

次に都道府県別の可視化をしていきます。すべての都道府県を一括で表示すると、見づらいため、今回は東京都、大阪府、愛知県、福岡県の4つに絞って折れ線グラフを描くことにします。2021年までのデータについては、2022年以降のデータと同時に可視化すると小さくなってしまい見にくいため、ここからは2022年以降のデータに絞って可視化していきます。

東京都、大阪府、愛知県、福岡県の新規陽性者数について、折れ線グラフを描いてください。
データは2022年1月以降のものを使ってください。

ChatGPTは**図11.21**の可視化を行ってくれました。

図11.21 生成された2022年1月以降の主要都府県の新型コロナウイルス新規陽性者数のグラフ

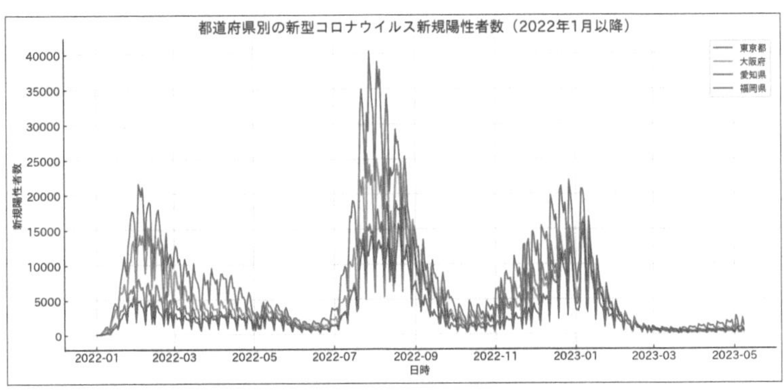

このグラフは増減がとても激しく、一見して解釈が難しいかもしれません。このような場合、7日移動平均を用いると、データのトレンドがより明確に捉えられます。7日移動平均とは、その日を含む過去7日間の値を平均した値のことです。

東京都、大阪府、愛知県、福岡県の新規陽性者数について、7日移動平均のグラフを描いてください。
データは2022年1月以降のものを使ってください。

このようにして出力されたグラフが**図11.22**のグラフです。

図11.22 **生成された2022年1月以降の主要都府県の新型コロナウイルス新規陽性者数（7日移動平均）のグラフ**

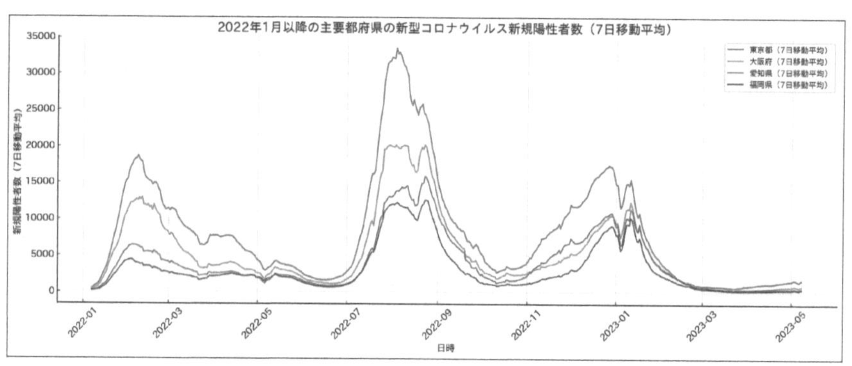

移動平均は、新規陽性者数のような時系列データにおける中長期のトレンドを捉えるための強力なツールです。とくに、データに日々の変動が多い場合や、特定の周期性（例：週ごとの変動）が存在する場合に有効です。

アニメーションを使う方法

画像を組み合わせて、アニメーションを作ります。

この方法は、時系列に沿ったアニメーションにすることで、徐々に状況が変わっていくのがわかるというメリットがあります。

4都府県の7日移動平均のグラフをアニメーションにしましょう。プロンプトは、11.3節で説明したアニメーションGIF作成のプロンプトを参考にしましょう。

なお、データを可視化してアニメーションにする場合は、Pillowを使うことをプロンプトに含めるのが安全です。含めない場合にはMatplotlibというライブラリを使ってGIFファイルを作成しようとして何度も失敗してしまいました。

要件に従って、アニメーションGIFを作成してください。

要件"""
・Pillowを使う。
・東京都、大阪府、愛知県、福岡県の新規陽性者について、7日移動平均のグラフを描く。
・全部で10コマのアニメーションにする。
・x軸を固定し、7日移動平均のグラフが徐々に右に伸びていくようにする。
・y軸を固定する。
"""

要件に従って、x軸を固定し、7日移動平均のグラフが徐々に右に伸びていくようなアニメーションGIFを作成しました。以下のリンクからダウンロードできます。

7日移動平均のアニメーションGIF（x軸固定）をダウンロード

GIFファイルをダウンロードすると、**図11.23**のような10コマのアニメーションとなっています。徐々にグラフが伸びていくため、わかりやすく、またSNSやPowerPointのスライド作りなどでも注目を集められる形式になっています。

図11.23 生成された7日移動平均のアニメーションGIFファイル

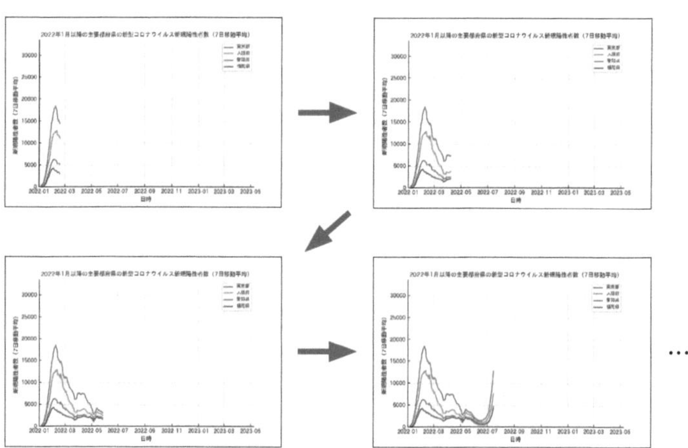

時系列データの可視化手法やテクニックはこの他にもたくさんあります。この本では12章の「売上データ」、「X（旧Twitter）データ」、「金融データ」などで、身の回りの具体的なデータをどのようにChatGPTで分析するのかを説明します。

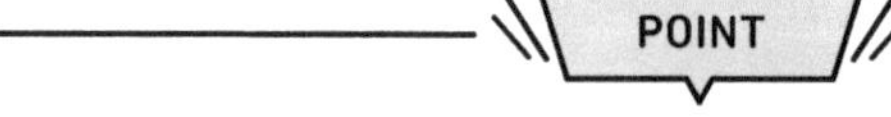

- 時間の経過とともに得られるデータのことを時系列データという。
- 時系列データは、一定の周期性や長期的な変動などがある場合があり、これを把握するために可視化してみることは重要となる。

データからビジネスに役立つヒントを得る

ボクのX（旧Twitter）のポスト（ツイート）と株価のデータを分析して、めちゃくちゃすごいことが分かったんだ！！ ChatGPTってやっぱりすごいや。

何がわかったの？

株価が下がると、ボクのポストの元気がなくなるみたい。これはすごい発見だよ！

（ライスくん、株を持っていたのね。）

ChatGPTを使ってデータを分析して、インサイト（知見）を得てみましょう。この章では、売上データ、X（旧Twitter）のデータ、金融データを例に、どのようにインサイトを得ることができるかを説明します。

12.1 売上データ

11.4節で表形式の売上データを可視化する方法を説明しました。この節では売上データのさらに詳しい分析を行ってみましょう。売上データをアップロードして、着目してほしい点を伝えてより詳しい分析をしたり、追加でデータをアップロードしたりしてインサイトを得る例を紹介します。

売上データの分析

今回分析するデータは、サンプルデータとして作成した2023年8月の小売店の高尾山店と江の島店の2店舗の商品の売上データです。このデータはサポートサイトからダウンロードすることが可能です。データのはじめの3行を表示すると次のようになっています。

図12.1 小売店の売上データ（2店舗）

日時	場所	性別	帽子	浮き輪	アイスクリーム	おにぎり	傘	合計金額
2023-08-01 08:00:00	高尾山店	男	1	0	1	1	1	2500
2023-08-01 08:03:00	高尾山店	女	2	0	0	1	1	3400
2023-08-01 08:09:00	高尾山店	女	0	0	0	1	0	200

まずは、ChatGPTにデータを読み込ませます。プロンプトには、「どのようなデータかの説明」と「インサイトを得たいこと」を含め、データの全体像を把握するための指示から始めるとよいでしょう。

今回は、店舗ごとの商品の販売数の集計からはじめましょう。

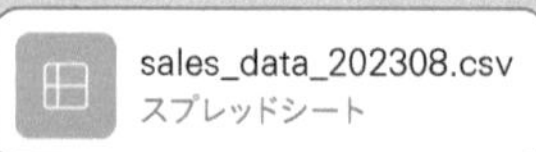

このデータは、お店の売上データであり、高尾山店と江の島店の8月の売上データが含まれます。
この売上データからインサイトを得るために可視化などを行い分析したいと考えています。手伝ってください。
まずは、店舗ごとに商品の販売数を集計してください。

データを集計した結果、高尾山店と江の島店での各商品の販売数は以下のとおりです：

- 高尾山店：
  - 帽子：4118個
  - 浮き輪：0個（販売なし）
  - アイスクリーム：3504個
  - おにぎり：7323個
  - 傘：771個
- 江の島店：
  - 帽子：5178個
  - 浮き輪：6143個
  - アイスクリーム：4642個
  - おにぎり：2625個
  - 傘：1755個

これらの結果から、高尾山店ではおにぎりの販売がとくに多く、江の島店では浮き輪の販売がとくに多いことがわかります。また、高尾山店では浮き輪の販売がないことも確認できます。

店舗ごとの商品の販売数を知ることができました。

次にどのような点に着目して分析をしたいか伝えてChatGPTにお願いしましょう。とくに知りたいインサイトがある場合、プロンプトにその着目点を含めることで、ChatGPTはそこに特化した分析を行ってくれます。

また、どの点に着目したらよいかわからない場合は、それをChatGPTに聞くこともできます。このデータでChatGPTにどのような切り口があるか質問してみたところ、「店舗別の売上比較、時間帯別の売上動向、商品別の売上分布、顧客の性別による売上差異など」と着目点の候補を教えてくれました。今回は、各商品の時間帯による売り上げ動向の変化を知りたかったので、そのまま次のように伝えました。このようにプロンプトに知りたいことや分析の目的を伝えることで、ChatGPTはそこから適切と思われる分析を行ってくれます。

11.2節で実行したグラフの日本語表示を事前に実行してください。

2つの店舗それぞれについて、各商品の時間帯による売り上げ動向の変化を知りたいので、それがわかるように可視化してください。

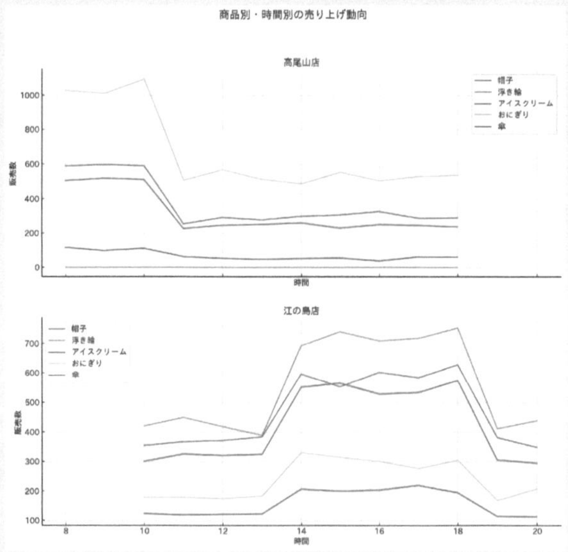

各店舗の時間別商品販売数を可視化しました。

高尾山店（上のグラフ）

・時間帯：おにぎりの販売数がとくに多いのは、早朝の8時から10時の時間帯です。

・主要商品：全体的に「おにぎり」の販売数が非常に多く、とくに早朝がピークです。

江の島店（下のグラフ）

・時間帯：午後2時（14時）から午後6時（18時）までの時間帯で、全商品の販売数が比較的高いです。

・主要商品：この時間帯では、「帽子」と「浮き輪」の販売数がとくに高いです。

これらの情報は、各店舗でのプロモーション計画や在庫管理に有用な洞察を提供するでしょう。

「2つの店舗それぞれについて、各商品の時間帯による売り上げ動向の変化を知りたいので、それがわかるように可視化してください」と入力しただけで、とてもわかりやすい可視化を行ってくれました。このデータは、仕入れや店員のシフトの改善につながる可能性のあるインサイトになり得るものです。

このデータだと、高尾山店のピークタイムは8時から10時。江の島店は14時から18時なのか。Excel形式のデータを眺めていてもなかなか気付けないよね。

天気のデータを追加して分析

アップロードしたデータでの分析が終わったのち、さらに追加するデータを検討することも非常に重要です。多くの場合、手元やWeb上には他にも無数のデータがあり、組み合わせることで相乗効果を得られるものがあります。今あるデータに加えて、どのようなデータを加えると、有効なインサイトが得られる分析になるか考えましょう。

売上データの場合は、天気の情報や近隣のイベント情報、顧客のデータなどがそれにあたります。ここでは天気のデータをアップロードしてさらに分析を進めましょう。データはサポートサイトからダウンロードしてください。

天気と最高気温、最低気温のデータをアップロードします。
このデータを追加して、分析を進めてください。

データの結合が成功しました。新しく'天気'、'最高気温'、および'最低気温'の列が追加されています。

この結合データを用いて、どのような分析を行いたいですか？　たとえば、天気別や気温帯別の売上分析が可能です。お知らせいただければ、分析を進めます。

それでは店舗別に、天気別・商品別での売上のグラフ化と分析を行ってください。

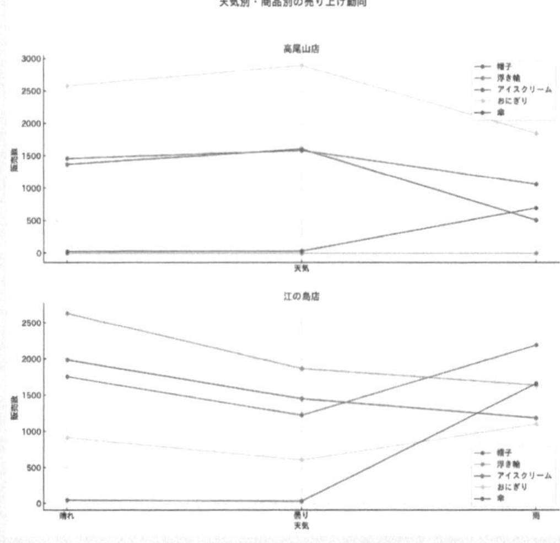

天気別・商品別の売上動向のグラフを作成しました。各店舗（高尾山店と江の島店）での天気（x軸）に対する各商品の販売数（y軸）が表示されています。

観察点：

- **高尾山店**：「おにぎり」がすべての天気条件でもっともよく売れています。
- **江の島店**：晴れや曇りの日には「浮き輪」が非常によく売れていますが、雨の日には「傘」が突出してよく売れています。

天気のデータをアップロードしてChatGPTに分析してもらうことで、「浮き輪の売上は晴れの日に多い」、「傘の売上は雨の日に多い」など、一般的に推測されることを、売上データからも裏付けることができました。

売上以外のデータを扱う場合にどのようなデータを追加するといいかわからないことも考えられます。その場合は、どのようなデータを加えると有効な分析になりそうか、ChatGPTに相談しましょう。

- **データをアップロードし、「インサイトを得るために可視化などを行い分析したい」と伝えるだけで、ChatGPTはいくつかの可視化をし、分析をしてくれる。**
- **とくに着目したいことがある場合は、プロンプトにその着目点を含める。そうするとそこに特化した分析を行ってくれる。**
- **天気のデータなど、追加することで売上の分析をより効果的に行えるデータがある。追加データの候補をChatGPTに相談すると教えてもらえる。**

12.2 X（旧Twitter）データ

X（旧Twitter）データの分析

X（旧Twitter）のデータの分析をする方法を説明していきます。Xのデータを分析する方法は、現状大きく2つあります。

- **Xのアナリティクスデータの分析**
- **Xのアーカイブデータの分析**

Analyticsデータは、一度に取得できる期間は約1ヵ月（28日間）であるものの、ポスト（ツイート）に関するエンゲージメント（ユーザーからの「いいね」やリポストなどの反応）の詳細な情報が得られます。アーカイブデータは、入手に時間がかかり、ポストごとの詳細なデータはないものの、一気に大量の過去のポストのテキストデータを取得することができます。

本節では、Analyticsデータを中心に、データをもとにXのフォロワー数を増やすための施策をChatGPTに考えてもらいたいと思います。

XのAnalyticsデータの分析

まずはデータのエクスポートの手順を紹介します。PCのブラウザ画面での操作を想定しています。

1. Xのメニューの「もっと見る」をクリックします（**図12.2①**）。
2. 続いて、「広告」をクリックします（**図12.2②**）。
3. 画面の左上部メニューの「アナリティクス」から「ポストアクティビティ」をクリックします（**図12.2③**）。

❹「データをエクスポート」を選択します（**図12.2④**）。**図12.2⑤**のように「By Tweet」と「By day」が選択できます。By Tweetは、ポスト（ツイート）ごとのデータ、By dayは日ごとにまとめられたデータです。詳しく分析したいので今回はBy Tweetの分析をします。

❺「tweet_activity_metrics_xxx.csv（xxxの部分はユーザー名やダウンロード期間により変わります）」というファイルがダウンロードできたら準備完了です。

図12.2 **Analyticsデータのエクスポートの手順**

データがエクスポートできたらいよいよ分析していきましょう。ChatGPTにデータをアップロードして、プロンプトでお願いしていきます。「データの中身を確認してください」とお願いすると、読み込んだデータの内容について簡単に教えてくれます。

まずは、直球でフォロワー数を増やすための方法を聞いてみましょう。

tweet_activity_metrics_xxx.csv
スプレッドシート

データを活用してフォロワー数を増やすための方法を教えてください。

Twitterのフォロワー数を増やすためには、ツイートのアクティビティデータを分析し、効果的な戦略を立てることが重要です。以下はデータをもとにした一般的な方法です：

1. **もっともエンゲージメントの高いツイートの分析**：
   ・エンゲージメント（リツイート、いいね、返信など）が高いツイートは、フォロワーからの関心が高いと言えます。
   ・このようなツイートの内容やスタイルを分析して、今後も同様のツイートを増やすことができます。
2. **投稿のタイミングを考慮する**：
   ・データから、どの時間帯にツイートするとエンゲージメントが高まるかを特定できます。

優等生的な、いかにも効果がありそうな回答が返ってきました。投稿の適切なタイミングを知るために、グラフを描いてもらいましょう。

ツイートの投稿時間帯と平均エンゲージメントの関係をグラフ化してください。グラフは棒グラフ、時間は日本時間にしてください。
横軸は1時間単位にして分析してください。

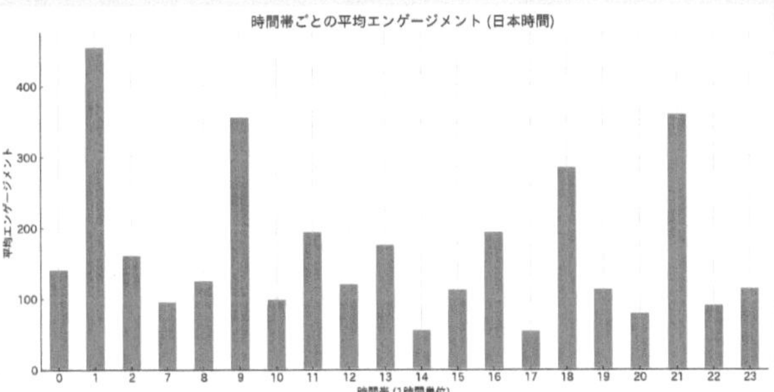

こちらがツイートの投稿時間帯（日本時間）と平均エンゲージメントの関係を示すグラフです。グラフから、1時帯と9時帯、21時帯にエンゲージメントが高くなっていることが分かります。

時間は日本時間にするために、プロンプトで指示するのがポイントよ！

データから、1時帯、9時帯、21時帯にエンゲージメントが高くなることがわかりました。ただし、一部のバズったポストに引っ張られている可能性があるため、個人に応じたより詳細なデータの精査が必要かもしれません。今回はここまでとし、次の分析にとりかかります。

次に、コンテンツのバリエーションをみてみます。

ツイートのコンテンツのバリエーションを分析・グラフ化してください。
とくにエンゲージメントとの関係を知りたいです。

ツイートのデータを解析して、エンゲージメントとコンテンツのバリエーションの関係を見てみましょう。
まず、データを読み込んで内容を確認します。

ツイートのタイプに基づいて分類しました。結果は以下の通りです：

・リンクを含むツイート：273件
・プレーンなツイート（特定の要素を含まない）：100件
・メンションを含むツイート：74件

次に、各ツイートタイプの平均エンゲージメントを計算し、それをグラフ化してみましょう。

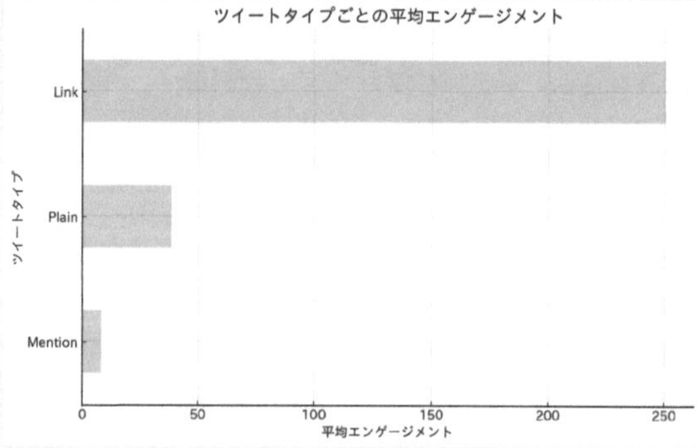

ツイートタイプごとの平均エンゲージメントをグラフ化しました。

結果を見ると、リンクを含むツイートがもっとも高いエンゲージメントを持っていることがわかります。一方、メンションを含むツイートとプレーンなツイートは、リンクを含むツイートよりもエンゲージメントが低いことが確認できます。

これは、リンクを含むツイートが読者にとって有益であるか、興味を引く内容を持っている可能性があることを示しています。

データから、リンク付きのポストのエンゲージメントが高いことが分かりました。

こうやってデータを使って分析すると、なんとなく実感として持っていた経験則を裏付けたり、意外な法則性に気付いたりすることができるのよね。

さらに、文字数によってエンゲージメントに差が出ないか、たとえば長文の方がよく読まれるといった傾向がないかを調べてみましょう。以下のプロンプトでお願いします。

ツイートのテキストの文字数とエンゲージメントの関係を散布図でグラフ化してください。

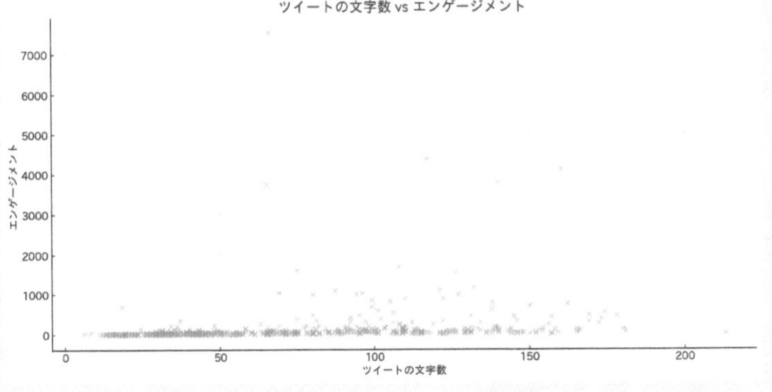

> 「ツイートの文字数 vs エンゲージメント」の散布図をプロットしました。
>
> 観察点:
>
> ・ツイートの文字数が増えるにつれて、エンゲージメントのバリエーションも増加しているように見えます。
> ・しかし、特定の文字数でエンゲージメントがとくに高くなるという明確な傾向は見受けられません。
> ・短いツイートも長いツイートも、高いエンゲージメントを獲得している例があります。
>
> この結果から、ツイートの文字数だけがエンゲージメントに影響を与えるわけではなく、ツイートの内容やタイミング、その他の要因も考慮する必要があることがわかります。

文字数とエンゲージメントの関係に明確な傾向はみられませんでした。長文の方が読まれている感覚があったので、これは意外な発見でした。

Xのアーカイブデータの分析

Xのアーカイブデータの分析のため、まずはデータのダウンロードの手順を紹介します。

1. Xのメニューの「もっと見る」をクリックします(**図12.3①**)。

2. 「設定とプライバシー」をクリックします(**図12.3②**)。

3. 「アカウント」→「データのアーカイブをダウンロード」をクリックします(**図12.3③**)。

4 パスワードを入力し、本人確認をします。2FA認証をしている場合、追加で認証コードを送信する必要があります。

5 これでデータのアーカイブをリクエストできます（**図12.3④**）。

リクエスト後、しばらくするとデータを取得できます。データには、大量のファイルが含まれていますが、過去にポストしたテキストデータは「tweet.js」（過去のポストの量によっては加えて「tweets-part1.js」「tweets-part2.js」などのデータがある場合もあります）という独自のJSONというファイル形式で格納されていますので、そちらを使います。

このJSONデータを使うといろいろ面白い分析ができるのですが、現状は他のサービスをChatGPTと組み合わせて使用する必要があり高度なので、17.3節以降で扱います。

プロンプトでXでなくTwitter、ポストでなくツイートと書いているのは、ChatGPTがTwitterの改名を学習していないからよ。

図12.3 アーカイブデータのダウンロードの手順

12.3 金融データ（ビットコインの価格分析）

この節ではビットコインの価格データを読み込ませて、ChatGPTにより分析を行ってインサイトを得ることを目指してみましょう。

データの取得

まず、ビットコインのデータを取得しましょう。今回は「Bitcoin日本語情報サイト[1]」の「当サイトで表示している国内ビットコイン価格について[2]」からデータを取得します。Webサイトの「価格・出来高のヒストリカルデータ」の箇所に過去の価格データがあります。今回は「2023年10月末時点データ」をダウンロードしました。

ChatGPTにデータの分析をさせる

ChatGPTに、先ほどのビットコインのデータをアップロードし、どの期間のデータなのか教えてもらいましょう。また、可視化をしてもらい、データを見てみましょう。

[1] https://jpbitcoin.com/
[2] https://jpbitcoin.com/markets_calc

jpbitcoinbpi202310.csv
スプレッドシート

これはビットコインの価格データです。
いつから、いつまでのデータか教えてください。
また、可視化をして、どのようなデータか教えてください。

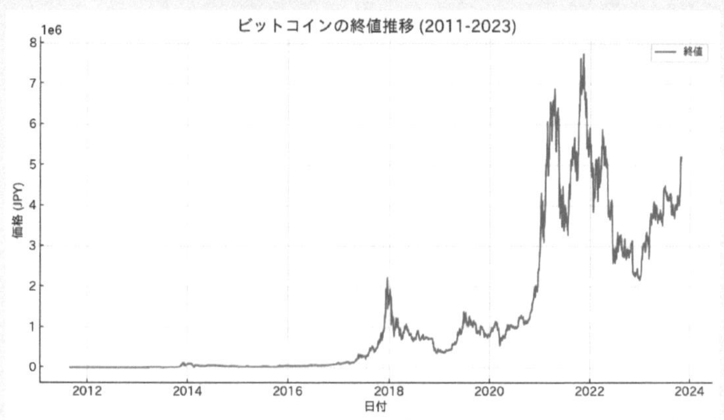

このビットコイン価格データは、2011年8月27日から2023年10月31日までのものです。
可視化したグラフから、ビットコインの終値がこの期間でどのように変動したかが分かります。グラフを見ると、ビットコインの価格は時間とともに大きく変動していることが確認できます。とくに、特定の時期に価格が急激に上昇または下降している時期がいくつかあります。これは、ビットコイン市場のボラティリティ（価格変動の激しさ）を示しています。

2011年8月27日から2023年10月31日までのデータであることがわかりました。また、**終値の時系列プロットから、とても価格が安かったビットコインが、上がったり下がったりしながら、最終的に500万円ぐらいの価格となっていることがわかりました。**

とても安かったビットコインが、500万円よりも高くなっているんだね。自分で可視化してみることで記憶に残る気がするよ。

分析手法を相談

ChatGPTが、どのような分析ができるか確認してみましょう。ChatGPTにできる分析手法を提示してもらえるので、どういう手法があるか聞きながら、分析をするのが便利です。

ビットコインの価格について分析をしたいです。どのような分析ができますか。

ビットコインの価格に関するさまざまな分析手法があります。以下はいくつかの例です：

時系列分析

1. **移動平均**：短期と長期の移動平均をプロットし、交差点を探すことで買い時と売り時のシグナルを得られるかもしれません。
2. **季節性とトレンドの分解**：データから季節性やトレンドを抽出して、将来の価格動きを予測します。

ボラティリティ分析

1. **Bollinger Bands（ボリンジャーバンド）**：価格の変動範囲を視覚的に示すために使用されます。

Bollinger Bands（ボリンジャーバンド）による分析

今回は、Bollinger Bands（ボリンジャーバンド）を使うことにしました。ボリンジャーバンドが、どのような手法なのか説明してもらい、ボリンジャーバンドによる分析を行ってみましょう。

ボリンジャーバンドによる分析とはどのような分析でしょうか。データ分析に詳しくない人にもわかるように説明してください。
2021年以降の価格について、ボリンジャーバンドによる分析をしてください。

Bollinger Bands（ボリンジャーバンド）とは？

Bollinger Bandsは、金融市場での価格の変動範囲を視覚的に示すためのツールです。主に3つのラインで構成されています：

1. **中央のライン（Moving Average）**：価格の短期間（通常は20日）の移動平均です。
2. **上側のライン（Upper Band）**：中央のライン（移動平均）に標準偏差の2倍を加えたものです。
3. **下側のライン（Lower Band）**：中央のライン（移動平均）から標準偏差の2倍を引いたものです。

分かりやすい説明

・Bollinger Bandsは、価格の「通常の範囲」を示しています。
・価格が上側のラインに近づくと、通常よりも高いと考えられ、「売る」タイミングかもしれません。
・逆に、価格が下側のラインに近づくと、通常よりも安いと考えられ、「買う」タイミングかもしれません。

このような分析は、市場の過熱や過度な恐れを感じ取るための一つの方法ですが、これだけを頼りに投資をするのはリスキーです。他の多くの要因も考慮する必要があります。

それでは、ビットコインの価格データにBollinger Bands分析を適用してみましょう。

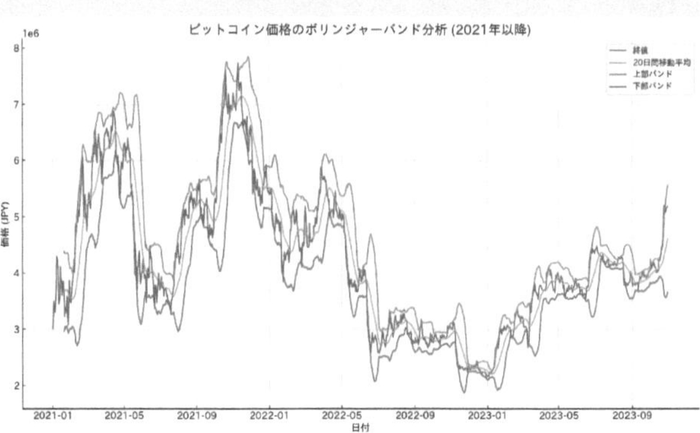

上のグラフでは、ビットコインの価格（青線）とBollinger Bands（緑線と赤線）を表示しています。オレンジ色の線は20日移動平均です。

ボリンジャーバンドという、通常は専用のツールで描くグラフもChatGPTで描くことができました。

ボリンジャーバンドによる分析での値動きの確認

ボリンジャーバンドによる分析では、下側のラインに近づいたタイミングは、「通常より低い」と考えられ、投資のタイミングとして考慮できるということでした。投資すべきタイミングだったか集計し、インサイトを得ましょう。

この2021年以降の期間で、価格が下側のラインに近づいたときに購入した場合、1週間後の価格が上がっている回数と、上がっていない回数を集計してください。
どのような場合に、下側のラインに近づいたと判定したかも教えてください。

1. 価格が下限バンドを下回った場合。

2. 価格が下限バンドの値の範囲内（たとえば、下限バンドの値の1%以内）にある場合。

これらの条件にもとづいて、2021年以降のデータを分析し、価格が下限バンドに近づいた時に購入し、1週間後の価格が上がっている回数と上がっていない回数を集計してみましょう。

2021年以降のビットコイン価格データにおいて、価格がボリンジャーバンドの下限バンドに近づいた場合に購入し、1週間後の価格を調査した結果は以下の通りです：

- **価格が上がっている回数**：46回
- **価格が上がっていない回数**：38回

この分析から、下限バンドに近づいた時に購入する戦略が一定の成功を収めていることがわかります。ただし、この方法は常に利益を保証するものではなく、市場の他の要因や全体的な傾向も考慮する必要があります。

このように、価格がある条件に合致したときに購入したと仮定し、1週間後の価格が上がるかを確認することができました。さらに細かく価格の変動幅を調べたり、他の条件で確認してみたりするなどして、ChatGPTで有効なインサイトを探すことができます。

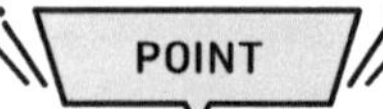

- **プログラミングのコードを書かなくても、ChatGPTに指示することで金融データの値動きのデータからインサイトを得ることができる。**

PART

ChatGPTのさらに便利な応用テクニック

Let ChatGPT
do the troublesome work
for you

業務を効率化する

ライスくん、内定をもらったんだってね！　おめでとう！

えへへ、ありがとう。入社してから早く活躍できるように、仕事で役立つChatGPTの活用法を教えて！

そうね。上司にびっくりされちゃうくらい仕事がどんどん進む業務効率化術を教えちゃうわ！

ChatGPTを使って業務の効率化に取り組んでみましょう。この章では、以下のようないろいろな効率化を紹介します。

- **Excelデータからグループ分けし、メール文を自動生成する**
- **Excelデータを条件別で別シートに集計し、分析結果をPowerPointのスライドにまとめる**
- **条件を満たしたシフト表をつくる**
- **マインドマップを自動生成する**
- **論文をガイドしてもらい読む**

13.1 Excelデータからグループ分けし、メール文を自動生成する

前年の売上データに応じて顧客をグループ分けし、グループに応じたキャンペーンメールを送るという例を紹介します。

売上データの確認

売上データの含まれるExcelファイルをアップロードし、どのようなグループに分けてほしいか伝えます。実際に使用したサンプルデータは、サポートサイトからダウンロード可能です。

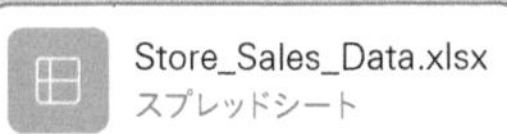

これは売上のデータです。顧客ごとに2022年11月から12月の売上額を集計して、次の2つのグループに分けて、顧客とグループがわかるようにExcelファイルに書き出してください。

・グループ1: 10万円以上の売上がある
・グループ2: 1円以上10万円未満の売上がある

これにより、2022年11月から12月の売上に応じて、顧客データを2つのグループに分けることができました。

メール案の作成

先ほど分けた2つのグループそれぞれに対するメール案を考えてもらいましょう。

先ほど分けた2つのグループごとに、メールの案文を作成してください。自社の状況や作成してほしいメールの内容は以下のとおりです。

・自社は女性用衣類を販売している。メールでは、2023年の冬のキャンペーンでコートやブーツなどを扱っていることを宣伝する。

・自社の店舗は、「飯田橋デパート」にある。
・顧客の名前は、後から置換するので"{名前}"と入れておく。

それでは1つ目のグループへのメールを作成してください。

了解しました。10万円以上の売上があるグループのお客様に向けたメールの案文を以下に記載します。

/—-

件名: 冬の新作アイテムをご紹介!

{名前}様

いつも飯田橋デパートの女性用衣類コーナーをご利用いただき、誠にありがとうございます。

今年の冬も、冷え込む日が増えてきましたね。そのような寒い日にピッタリの、当店自慢の冬物コートやブーツの新作を多数取り揃えております。{名前}様が今までご愛顧いただいている金額を拝見させていただき、とくにおすすめのアイテムを選びましたので、ぜひ店舗にてご試着いただければと思います。

さらに、{名前}様には特別なプレゼントもご用意しておりますので、ぜひお越しいただけることを心よりお待ち申し上げております。

飯田橋デパート女性用衣類コーナー
住所: [飯田橋デパートの住所]
電話: [店舗の電話番号]

皆様のご来店を心よりお待ちしております。

\—-

このメール案は、10万円以上の売上があるお客様を対象としており、特別な感謝と新商品の魅力を伝える内容となっています。続いて、他のグループに対するメール案を作成しますが、いかがでしょうか？

このようにして、**顧客をグループに分け、それぞれのグループ向けのメール内容を提案してもらい、その提案を編集・修正することで効果的なパーソナライズドメールを作成することができます。**また、どのようにグループ分けするかについても、ChatGPTにアドバイスを求めることができます。

ChatGPTがメールの内容を提案してくれるので、ボクの役割はそれを検討し、最終的に決定することなんだね。

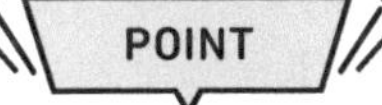

- **データをアップロードし、条件に応じたグループ分けをしてもらうことができる。**
- **メールの案を書いてもらうという使い方が便利。**

13.2 Excelデータを別シートに集計し、分析結果をスライドにまとめる

Excel形式のデータを読み込んで集計・可視化・分析などを行い、その結果をスライドにまとめてみましょう。

データを読み込み可視化する

東京都の日平均気温のデータから東京の夏の気温の変化を分析させて、スライドにまとめるという例を説明します。データは気象庁のWebページ[1]のデータをExcelに貼り付けて、値欄に含まれる記号を削除したものです。このデータはサポートサイトに掲載しています。

これは東京都の日平均気温のデータです。
このデータを分析して、東京都の日平均気温について、6月から8月の気温がどのように変化しているか分析してください。

データは年ごとに各月の日平均気温が記録されているようです。次に、6月から8月までの気温データに絞り、その変化を分析していきます。

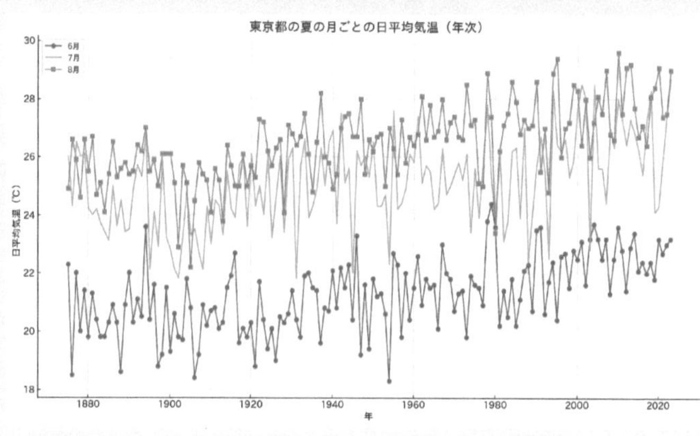

[1]「観測開始からの毎月の値」、気象庁、https://www.data.jma.go.jp/obd/stats/etrn/view/monthly_s3.php?prec_no=44&block_no=47662

分析の結果、以下のポイントが観察できました：

1. 7月と8月は6月よりも一般的に暑い傾向にあります。
2. 時間が経つにつれて、夏季の日平均気温が全体的に上昇している傾向が見られます。これは気候変動の影響である可能性があります。

Excelのデータを読み込み、折れ線グラフが作成されました。ChatGPTが説明するように、可視化された折れ線グラフから上昇傾向が読み取れました。

5年移動平均のグラフを描いてもらいましょう。ここで5年移動平均とは過去5年間のデータを平均した値のことです。11.8節で説明したように、移動平均をとると短期的な変動やノイズを除くことができるため、長期的なトレンドが見やすくなります。また、5年移動平均を計算した結果は、分析結果の基となる資料とするためにExcelファイルに書き出しておいてもらいましょう。

5年移動平均を計算し、Excelファイルに書き出してください。また、それを可視化してください。

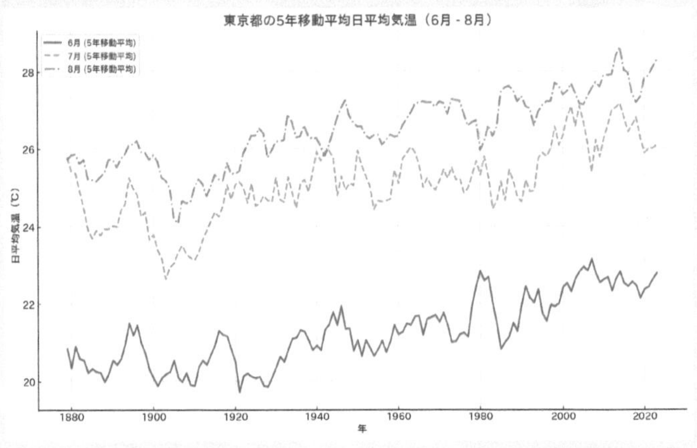

グラフには、各月（6月、7月、8月）の実測値と5年移動平均が表示されています。5年移動平均は各月の気温トレンドをより明確に示しています。

Excelファイルに5年移動平均も含めて保存しました。**こちらからダウンロードできます。**

5年移動平均にして可視化したことで、より上昇トレンドをわかりやすく確認することができました。

ここまでは11.8節でやった時系列データの可視化の復習だね！

1年ごとに平均気温が何度上昇しているか計算してもらいましょう。

この5年移動平均について分析してください。
上昇傾向のトレンドにあると思いますが、1年に何度ずつ平均気温が上がっていると推測できるでしょうか。
推測に使用する手法も教えてください。

線形回帰モデルに基づくと、各月（6月、7月、8月）での日平均気温の上昇傾向は以下のようになります：

・6月：約 0.0175℃ / 年
・7月：約 0.0172℃ / 年
・8月：約 0.0192℃ / 年

これらの数値は、各月の日平均気温が毎年平均でどれだけ上昇しているかを示しています。言い換えれば、毎年の6月、7月、8月の日平均気温は、それぞれ約 0.0175℃、0.0172℃、0.0192℃上昇していると推測されます。

1年に約0.02℃上昇していることが分かりました。この結果をスライドにまとめて、完成させましょう。

分析結果をスライドにまとめる

この気温上昇について、2ページのPowerPointのスライドにまとめたいと思います。
内容を考えてください。

もちろん、PowerPointプレゼンテーションに掲載する内容を以下にまとめます。

\—-

スライド1：タイトルと概要

・**タイトル：** 東京都の夏季日平均気温の上昇傾向
・**サブタイトル：** 5年移動平均による分析
・**目的：** 東京都での夏季（6月、7月、8月）の日平均気温の長期的な上昇傾向を調査
・**主な発見：** すべての月で微増（6月：約 0.0175°C、7月：約 0.0172°C、8月：約 0.0192°C）

スライドの案が書き出されました。2枚目のスライドについては、5年移動平均のグラフだけではなく、移動平均にする前のグラフも入れたかったので、プロンプトにそれを入れてPowerPointのスライドを作ってもらいます。

スライド2に1年ごとのグラフも入れてください。
それではPythonを使ってPowerPointに書き出してください。

出力されたリンクからダウンロードしてPowerPointファイルを開くと、2枚目のスライドは**図13.1**のように、レイアウトが崩れています。ChatGPTでは図があると、上手い配置ができないようです。この場合、PowerPointでファイルを手動で開き、自分で修正するか、またはスライドのデザインを提案してくれるPowerPointのデザインアイデア機能で修正しましょう。

図13.1　**レイアウトが崩れたスライド**

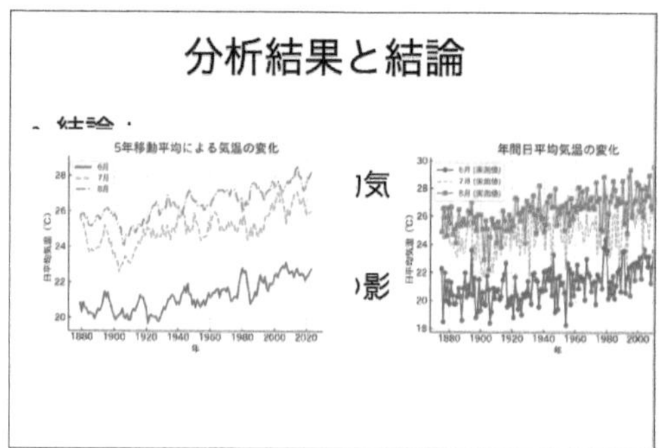

2枚目のスライドのレイアウトを修正し、**図13.2**の右側のようにまとめ、スライドを完成させることができました。

図13.2 レイアウト修正後のスライド

東京都の夏季日平均気温の上昇傾向

- 5年移動平均による分析
- 目的：東京都での夏季（6月、7月、8月）の日平均気温の長期的な上昇傾向を調査
- 主な発見：全ての月で微増（6月：約0.0175°C、7月：約0.0172°C、8月：約0.0192°C）

分析結果と結論

- 結論：
- - 東京都の夏季の日平均気温は上昇傾向にある。
- - 上昇傾向は気候変動の影響を受けている可能性がある。

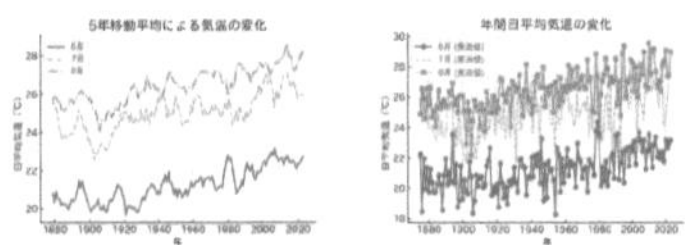

Excel形式の気温データから、仮説を得てスライドにまとめました。これでボクもデータサイエンティストです。

POINT

- Excel形式やCSV形式のデータをアップロードして、ChatGPTでの分析で得られたインサイトをPowerPointにまとめられる。
- 分析で集計した結果をExcelファイルに追加しておくと、分析結果の資料となり便利。
- ChatGPT上ではPowerPoint上の細かいレイアウトまではできないので、手動で行うか、PowerPointのデザインアイデア機能で調整するとよい。

13.3 条件を満たしたシフト表をつくる

シフト表作成もChatGPTにおまかせ

シフト表の作成をChatGPTにお願いしてみたいと思います。勤務のシフトは、働いている人たちの希望条件を満たすように、勤務日や勤務時間を調整し、過不足がないように調整しなければなりません。

とくに、今は多くの人が複雑な条件で働くことが増えていて、勤務のシフトを作成するニーズも増えていますし、作成の難易度も上がっています。そんなシフト表の作成にChatGPTでチャレンジしてみましょう。

そういえば、ボクのバイト先の店長がいっつもシフト出すのが遅くて、困ってたんだけど、シフトをつくるって難しいんだね。

ライスくんがわがままを言ってるんじゃないの？　ChatGPTを教えてあげたら早くなるかもね！

使用するシフト表はExcelで作成します。以下のように1週間分の「シフト表」「サンプル」「メンバーID」の3つのシートを準備します（**図13.3**）。実際に使用したシフト表は、サポートサイトからダウンロード可能です。

図13.3 準備するExcelファイル

シフト表

	A	B	C	D	E	F
1		月	火	水	木	金
2	午前					
3	午後					

サンプル

	A	B	C	D	E	F
1		月	火	水	木	金
2	午前	1	4	4	1	2
3	午後	2	1	4	1	2

メンバーID

	A	B
1	ID	メンバー名
2	1	Aさん
3	2	Bさん
4	3	Cさん
5	4	Dさん

メンバーIDは、人を数字で判別するための表です。長い名前の人がいると、表が横に長くなり見づらくなってしまうため、IDを準備しています。サンプルは、ChatGPTに期待どおりの形式でファイルを作ってもらうために用意しています。実際のシフト表がExcelファイルだったら、そのまま使ってもよいですが、あまり複雑なExcelファイルだと時間がかかったり失敗したりするので、適度に簡略化するのがよいでしょう。今回のシフト表も、実在のシフト表[2]を簡略化したものを使用しています。

シフト表を作成するための、プロンプトと結果は以下です。ポイントとしては**現時点でのChatGPTは「以上」「未満」「まで」といった境界の条件は間違**

[2] 筆者（からあげ）の妻の勤務先のボルダリングジムのシフト表

いやすいです。そのため、わかりやすく境界の条件を示してやると間違いが減ります。たとえば「4日まで」としたとき4日はOKなのかNGなのかを明示しておくほうがよいでしょう。

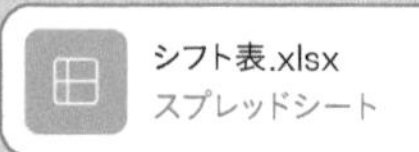

シフト表を作成してください。アップロードしたExcelファイルのメンバーIDシートがIDとメンバーの対応、サンプルがシフト表のサンプルです。
午前が1コマ、午後が1コマです。1日は2コマ、1週間は14コマとなります。うまくいかなかったら途中までで保存してください。

条件は以下です。

条件："""
1. 連続で勤務できるのは4日までです（4日はOK）
2. Aさんは平日の午前と午後に勤務できる
3. Bさんは午前に勤務できる
4. Cさんは月・火・木・金・土・日の午前と午後に勤務できる
5. Dさんは午後に勤務できる
"""

上記のプロンプトを実行すると、きちんとExcelシートの意図と条件を読み取ってくれました。一度でうまくいかない場合は、同じチャット内で何度かやりとりしてみてください。この後、何度かChatGPTが試行錯誤した後、シフト表を作成してくれました。

念のために、自分でも条件を一つ一つ確認しましたが、間違いはありませんでした。今回は時間帯が午前・午後のみ、働く人も4人で、働く条件も厳しくない簡単なものなので成功しましたが、**難しい条件になると、シフト作成に時間がかかったり、全部の条件を満たせないケースが出てきます。**

ただ、簡単な条件であればシフト表が作成できますし、難しい条件でも、一部の条件を満たした「たたき台」を作成できるので、有用性は感じられるのではないかと思います。

あれ、シフト作成に失敗しちゃった。

途中まででファイルを保存してもらうこともできるし、何度かチャレンジすると成功したりするわよ。そのときに「もう一度チャレンジしてください。自分を信じて限界を超えてください」と感情をこめるとよい結果になる場合もあるわ。

えっ、冗談でしょ！

そういう研究結果[3]もあったりするのよ。人間みたいね！

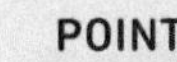

- **簡単な条件であれば、シフト表を作成することができる。**
- **間違いやすい境界の条件（xx以上、xx未満、xxまで）は、境界線を明示することで間違いを減らすことができる。**

[3] 「Large Language Models Understand and Can be Enhanced by Emotional Stimuli」, Cheng Li *et al.*, 2023, https://arxiv.org/abs/2307.11760

13.4 マインドマップを自動生成する

この節では、「Whimsical Diagrams」というGPT[4]を使ってChatGPTでカラフルなマインドマップを作成する方法を紹介します。

Whimsical Diagramsを使ってマインドマップを作成

Whimsical DiagramsというGPTを使用することで、マインドマップを描くことができます。Whimsical Diagramsを使うためには、画面左の「GPTを探索する」をクリックすると表示すると表示される検索窓に「Whimsical Diagrams」と入力し（**図13.4**）、一番上に表示される「Whimsical Diagrams」をクリックしアクセスしてください。

図13.4 GPTsの検索窓にWhimsical Diagramsと入力した画面

Whimsical Diagramsにアクセスした画面が**図13.5**です。

[4] GPTについては、17.1節で説明します。

図13.5 Whimsical Diagramsにアクセスした画面

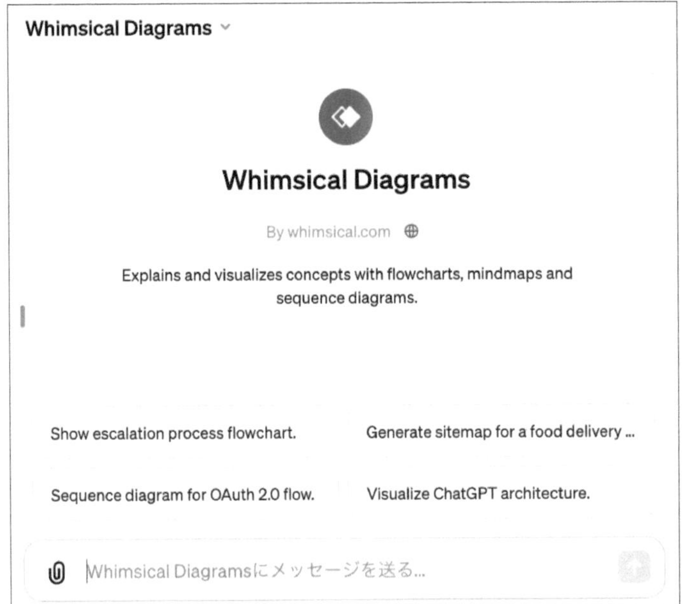

この画面から、通常のようにChatGPTとチャットができ、マインドマップを作成するように指示すると、マインドマップが作成されます。

マインドマップの作成

「地方の国道沿いのカレー屋さんの売上を1.5倍にする方法」というテーマでマインドマップを作る場合のことを考えましょう。次のように、テーマを与えてマインドマップを作成するよう指示します。

地方の国道沿いのカレー屋さんの売上を1.5倍にする方法について、次の条件でマインドマップを作ってください。

条件:"""
マインドマップの中心に「カレー屋さんの売上を1.5倍にする方法」を配置
"""

すると**図13.6**のように、Whimisical.comに情報を送信してよいか確認する表示がされます。そのときだけ許可する場合には「許可」、他のチャットも含めて許可する場合には「常に許可する」、拒否する場合は「拒否」をクリックしてください。

図13.6 Whimisical.comに情報を送ってよいか確認する画面

また、「通信したいです」の後ろの「⌄」をクリックすると、Whimisical.comに送る情報が**図13.7**のように表示され、確認することができます。

図13.7 Whimisical.comに送る情報

アクションの確認 ×

Whimsical Diagramsはこの情報をwhimsical.comと共有したいと思っています

markdown "カレー屋さんの売上を1.5倍にする方法\n-マーケティング戦略\n - SNS活用\n - ローカルイベント参加\n - クーポン配布\n- メニュー改善\n - 季節限定メニュー\n - ヘルシーオプション\n - キッズメニュー\n- サービス向上\n - スピーディな対応\n - オンライン注文\n - テイクアウト・デリバリー\n- 店舗改善\n - 店内装飾\n - 音楽・照明\n - 清潔感\n-コラボレーション\n - 地元企業との提携\n - 他店舗とのコラボ\n - インフルエンサーとの連携"

title "カレー屋さんの売上を1.5倍にする方法"

常に許可する 拒否 プライバシーポリシー

許可すると、Whimisical.comと通信され、ChatGPTの応答にマインドマップが表示されます。

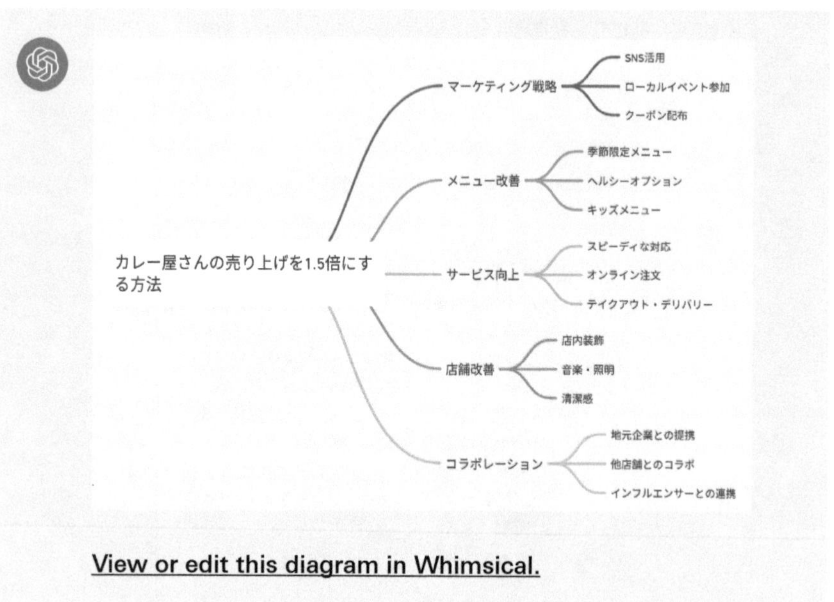

上のように色付きで綺麗なマインドマップが表示されました。今回はサブトピック数を指定しなかったので、自動的に5つのサブトピックが配置されました。**サブトピックの数を指定したいときは、条件にいくつのサブトピックを配置したいか指定します。**

このWhimsical Diagramsで作成したマインドマップは、最後に表示されるリンクをクリックすると、**WhimsicalのWebサイトに移動し、そこで自由に編集することができます。**

たとえば、**図13.8**は、作成されたマインドマップの「清潔感」から枝を作り、「厨房」を追加したところです。**さらに「客席」を追加するためには、「清潔感」をクリックし、その右に表示される枝をクリックして文字を入力します。**

図13.8 マインドマップの編集画面

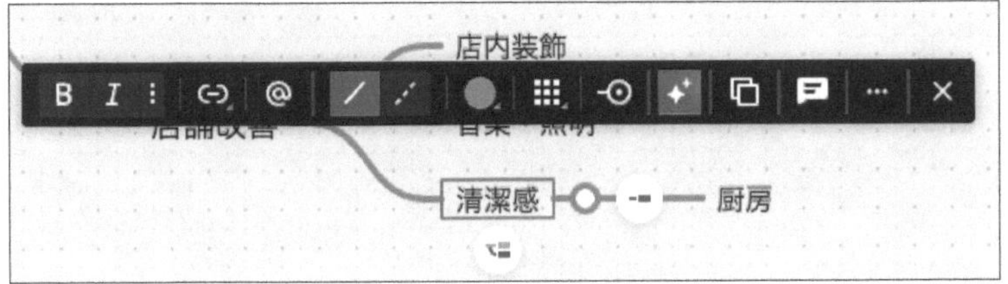

その他、Whimsicalでのマインドマップの編集方法については、WhimsicalのWebサイト[5]にある動画などにまとまっています。

Whimsical Diagramsを使うことで、こんなに綺麗なマインドマップを作ることができて、編集もできる。すごい。

ファイルを読み込んでマインドマップを作る

Whimsical Diagramsで、PDFファイルやExcelファイルなどを読み込んで、マインドマップを作ることができます。Whimsical Diagramsでは通常のGPT-4と同様にファイルをアップロードできるため、ファイルをアップロードしてマインドマップを作成しましょう。

今回は、カレー屋さんのアンケートを集計したサンプルデータから、マインドマップを作成するように指示をしました。このサンプルデータはサポートサイトからダウンロードすることができます。

[5] https://whimsical.com/mind-maps

らマインドマップを作成してください。

条件:"""
・マインドマップの中心に「カレー屋さんのアンケートでの主な回答」を配置
・各テーマをサブトピックに設定
・回答件数が5件以下のものについては、記載しない
"""

すると今回は、**図13.9**のマインドマップが作成されました。

図13.9 Whimsical Diagramsで作成したカレー屋さんのアンケート結果のマインドマップ

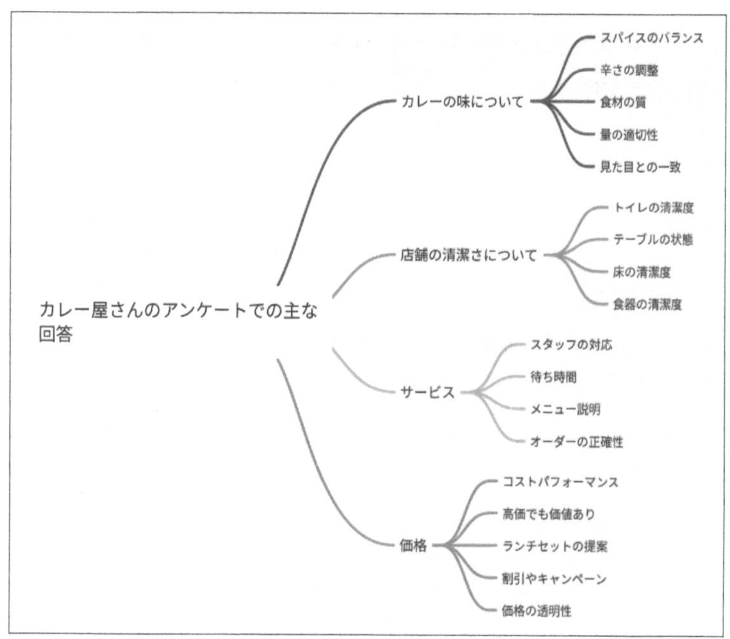

マインドマップは、就職活動でも使ったよ。

自己分析で使ったり、グループディスカッションで書いたりということを聞いたことがあるわ。便利に使ってほしいわね。

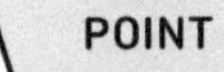

- **Whimsical Diagramsを使うと、カラーのマインドマップの作成や、作成したマインドマップの修正ができる。**
- **Whimsical Diagramsでは、ファイルをアップロードしてその内容からマインドマップを作成することができる。**

13.5 論文をガイドしてもらい読む

この節では**論文の楽しい読み方を紹介します。**

論文か……難しそうだし、ボクには関係ないかな。

そんなことないわよ！　論文を読めば専門的な知識や最先端の動向がわかるし、この読み方は論文だけじゃなくていろんな難しい文章に使えるんだから！　覚えておいて損はないはずよ。

キャラクターになりきり論文をガイドしてもらう

2.3節のカスタム指示で設定したように、ChatGPTにキャラクターになりきってもらい、論文を読むことで難しい論文も気軽に読むことができます[6]。

[6] なお、この方法は、Akinori Machino(@amachino)さんが、Twitterで AI 時代の論文の読み方として公開されていた方法 (https://twitter.com/amachino/status/1691665480283779458) を参考にしました。

「Transformer」が提案された、「Attention Is All You Need」というタイトルの論文[7]をアップロードし、チキン姉さんと一緒に読んでみましょう。カスタム指示を、2.3節と同じ設定にして、試してみたのが次の結果です[8]。

このAttention Is All You Needという論文を一緒に読もうと思うんだ。よろしくね！
ボク、論文読むの初めてで……PDFファイルを読み込んで、どんなことが書いてある論文か教えてほしいな。

「Attention Is All You Need」という論文について簡単に説明するね😊。この論文は、翻訳や言語処理タスクに革命をもたらした重要な研究だよ。その主な内容を以下にまとめたよ。

論文の概要
タイトル：Attention Is All You Need

〜〜〜

結果と影響

- **翻訳品質の向上**：トランスフォーマーは従来のモデルを上回る翻訳品質を達成。
- **NLP分野への影響**：トランスフォーマーモデルは、その後の多くのNLPモデルやアプリケーションに大きな影響を与えた。

この論文は、自然言語処理の分野における大きな進歩を示しているんだよ。また、トランスフォーマーはその後のモデル、たとえばBERTやGPTシリーズの基盤となっているんだ。とても重要な研究だね！📚✨

[7]「Attention Is All You Need」, Vaswani *et al.*, 2017, https://arxiv.org/abs/1706.03762
[8] 前節で使ったWhimsical Diagramsではなく、ここではGPT-4に戻って実行してください。

チキン姉さん、1ページ目から順番に教えてください！

自分の好きな性格のキャラクターに設定してみるなど、自分好みの設定を考えてみてください。

TeXを読ませる

論文をChatGPTに読み込ませる場合、PDFファイルでアップロードするよりも、TeXという形式で読み込ませた方が、数式を認識してくれるなど、よく理解してくれます。

コンピュータサイエンス分野などのプレプリント論文が掲載される、arXiv [9] の場合、次の方法で論文をTeX形式でChatGPTにアップロードできます。

① 論文のページの右側にあるDownloadの「Other Formats」に進む。
② Download sourceをクリックし、ファイルをダウンロード。
③ 拡張子がないファイルがダウンロードされるので、ファイル名を変更し、ファイル名の最後に「.tar」をつける。
④ 「.tar」をつけたファイルをChatGPTにアップロードする。

「解凍してください」というプロンプトで解凍してもらうと、中に章ごとのファイルがあり、ChatGPTはこれを読むことができます。

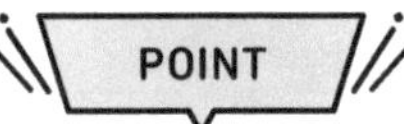

難しい論文も、カスタム指示を使い、ChatGPTにガイドしてもらう読み方で、楽しく読むことができる。

[9] https://arxiv.org/

ゲームで遊ぶ

テスト勉強、やる気でないなぁ。ゲームだったらいくらでも頑張れるのに……。

チキンとしなきゃ！　ChatGPTにゲーム形式で一緒に勉強してもらうのはどう？　アイデア次第でこんな使い方もできるよ。

この章では「国あてゲーム」、「数字あてゲーム」というゲームを例に、ChatGPTを使ったゲームで遊ぶ方法を紹介します。

14.1 国あてゲーム

ChatGPTの機能を使い、ChatGPTに国や都市を当てる問題を出してもらい、答えるというゲームを紹介します。

国あてゲーム

地図に色を塗ってもらい、その国名を答えるゲームをChatGPTに出題してもらいましょう。わからない場合は、わからないと言ってヒントを出してもらうことができます。試しにやってみたところ次のようになりました。

これから国名を当てるゲームをしましょう。ルールは次のとおりです。

1. 問題を出題
・あなたは、ランダムに1つの国を選択する。
・GeoPandasを使って、選んだ国付近をズームし、選んだ国を着色して表示する。この時、表示する領域をズームし、拡大することを忘れないこと。
・着色した国が、どこの国か私に質問する。

2. 問題の解答
・私はその着色された国の国名を回答する。

3. 正解・不正解の判定・表示
・あなたは私の回答が正解か不正解かを判定し表示する。

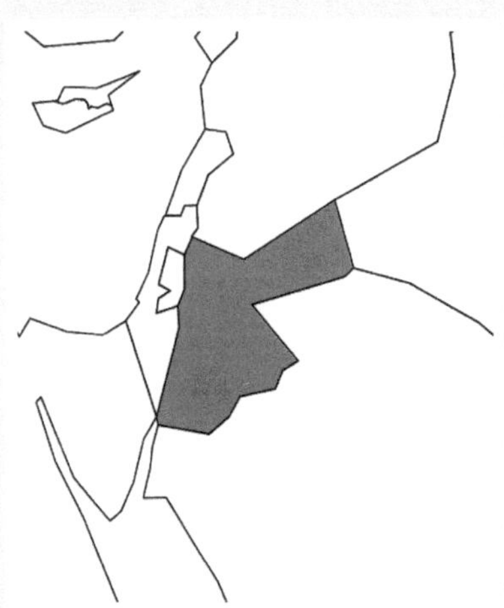

地図上で赤く着色された国がこちらです。この国はどこでしょうか？
お分かりになりましたら、回答していただけますか？

国名がわからなかったので、もう少し縮小して周りも表示してもらいました。

難しいですね。もう少し縮小して周りも見せてください。

もう少し周りの地域を表示しました。この赤く着色された国はどこでしょうか？

わかったら教えてください！　難しい場合、ヒントを提供することもできますので、お気軽にお尋ねください。

わかりました。ヨルダンですね！

素晴らしい、正解です！　赤く着色された国は、確かにヨルダンでした。

楽しいゲームを提案していただき、ありがとうございました。何か他のことをお手伝いできることがあれば、お気軽にお尋ねください！

このように、地図上の国に色を塗ってもらい、国名を当てるゲームをChatGPTとすることができました。国を都市に変えてゲームをすることもできますし、日本地図で県や都市を当てるゲームをすることができます。

ChatGPTにクイズを出してもらうこともできるんだね。ChatGPTは物知りだからいろいろなテーマを設定してクイズができそうだよ。

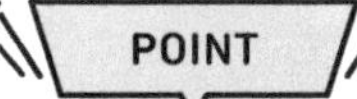

- **ChatGPTにクイズを出してもらうことができる。**
- **ChatGPTを使うことで、地図を使ったクイズや、地図に色を塗ったクイズを出題してもらうことができる。**

14.2 推理ゲーム

この節では、ファイルに文字を書き出せる機能を使って、ChatGPTと数字を当てるゲームで遊ぶ方法を紹介します。

数字あてゲーム

数字をファイルに書き出してもらい、その数を当てるという単純なゲームをChatGPTと行ってみましょう。

プロンプトには、ChatGPTにどのように振る舞ってほしいか、具体的に書きます。以下はChatGPTと遊んでみた例です。

これから数字を当てるゲームをしましょう。あなたが出題者で私は回答者です。
ルールは次のとおりです。

1. 問題を出題
・最初に、あなたは1から10までのどれか1つの数値をテキストファイルに書き出して、number.txtとして保存し、ダウンロードできるようにします。
・その数値をprintし確認してください。この数値は質問の答えになりますので、正解が出るまで秘密にしてください。
・書き出した数値を私に質問してください。

2. 予想の回答
・私はテキストファイルに書かれた数値を推測します。

3. 正解・不正解の判定
・私の回答が書き出した数値に一致したら、お祝いをしてください。
・私の回答が書き出した数値と不一致だったら、「不正解」といい、ヒントを1つ言ってください。

私の回答が正解するまで2と3を繰り返します。

ゲームの準備ができました。選んだ数値を`number.txt`というテキストファイルに保存しました。**こちらからダウンロードできます。**

どうぞ、数値を当ててみてください。

5

不正解です。ヒント：選んだ数値は5より大きいです。再度お試しください。

8

不正解です。ヒント：選ばれた数は8より小さいです。再度お試しください。

7

正解です！　おめでとうございます！　数値は7でした。少ない回数で当てることができましたね。何か他にお手伝いできることはありますか？

ChatGPTが最初に書き出したテキストファイルを確認すると、7と書かれていました。

はじめにテキストファイルに書き出してもらったことで、よりリアルなゲームとすることができます。

ChatGPTに自分が考えたゲームを一緒に遊んでもらって、愛情が芽生えつつあるよ。

- **ゲームのルールをプロンプトで伝えることで、ChatGPTとゲームをすることができる。**
- **ファイルにテキストを書き出すことで、ゲームをよりリアルにできる。**

CHAPTER 15

ブラウザアプリを作る

ChatGPTでアプリも作れるんだね。ボクはずっと作りたかった「食べ過ぎ防止アラームアプリ」を作ってみたよ！

それはすごい！　アラームが鳴ったら食べるのをやめられる？

アプリには「無視」ボタンもついているから大丈夫！

ChatGPTで、Webブラウザで動作するアプリケーションを作成することができます。

簡単なブラウザアプリでも、プログラミングのコードをゼロから書くのは面倒ですし、プログラミングの知識がないと作り上げることはとても難しいです。ChatGPTにプログラミングのコードを書いてもらいファイルに書き出してもらえば、それをダウンロードしてブラウザで開くだけで使うことができます。自分の細かいニーズに対応した簡単なアプリケーションというのはとても便利なので、ぜひこの章のプロンプトを参考に作成してみてください。

この章では、ブラウザで動く、時計アプリ、ポモドーロアプリを作る方法を紹介します。

15.1 時計アプリケーション

まずはじめに、現在時刻を表示するだけのWebアプリケーションを作成してみましょう。プロンプトには次の項目を含めます。

- **作りたいアプリケーションの内容**
- **アプリケーションの仕様（背景色や文字の色やイメージなど）**
- **HTML、CSS、JavaScriptを、それぞれ別ファイルにすること**
- **ZIPファイルに固めてダウンロードできるようにしてほしいこと**

3つ目の項目については、別ファイルにしないと長いファイルとなってしまい、ChatGPTがファイルを作成するときにエラーが発生しやすくなるため、入れています。

ブラウザで表示する、簡単な時計アプリを作りたいです。
時計が表示されるシンプルなアプリのコードを書いてください。仕様は次のとおりです。

・バックグラウンドを黒にして、数字を白にしてください。
・数字はオシャレな数字を使ってください。
・HTML、CSS、JavaScriptを使って、別ファイルにしてください。
・ZIPファイルに固めてダウンロードできるようにしてください。

デジタル時計アプリのコードを作成し、ZIP形式で固めました。ZIPファイルを以下のリンクからダウンロードできます：Simple Clock App ZIP。[>-]

ChatGPTは、HTML、CSS、JavaScriptという形式の3つのファイルを作成し、ZIPファイルにまとめて書き出してくれました。このZIPファイルを解凍すると、**図15.1**のように3つのファイルがあり、index.htmlファイルを開くと時計が表示されます（index.htmlではないファイル名でHTMLファイルが書き出される場合があります）。

図15.1 解凍した時計アプリケーションのファイル

index.html
script.js
styles.css

図15.2 index.htmlを開いた画面

22:45:30

すごい、ボクもWebブラウザで動くアプリを作ることができた！！

ZIPファイルを解凍してからファイルを開くのを忘れないでね[1]。

このようにして、「ブラウザで動く簡単な時計アプリを作りたい」という指示をすることで、ChatGPTが作成してくれました。自分が欲しいアプリを思いついたら、ぜひChatGPTに指示をして作ってみてください。次のリストは簡単に作ることができるアプリの例です。プロンプトはサポートサイトで公開しています。

- **目覚まし時計アプリ**
- **タスクの登録、完了登録ができるアプリ**
- **定期的にニュースサイトからニュースを取得してきて表示するアプリ**

また、筆者のnote[2]では、今回作成したアプリに機能を追加し、時計とYouTubeの登録者数を交互に表示するアプリの作り方を公開しています。こちらも参考にしてください。

[1] ダウンロードしたZIPファイルをクリックして図15.1のように3つのファイルが現れ、そのうちHTMLファイルをクリックしても時計アプリが起動しないときは、ZIPファイルの解凍がうまくいっていない可能性があります。あらためてZIPファイルを右クリックして、「すべてを展開」または「解凍」させてから、HTMLファイルをクリックすると起動する場合があるので試してみてください。次節のポモドーロアプリも同様です。

[2]「Code Interpreterを使った簡単なウェブアプリの作成（時計とYouTubeチャンネル登録者の表示）」、カレーちゃん、https://note.com/currypurin/n/n205e89ea2153

POINT

- ブラウザで動くアプリをChatGPTで作ることができる。
- コードの一式をZIPファイルにまとめて書き出してもらい、ダウンロードしてHTMLファイルをブラウザで開くとアプリを使うことができる。
- 作成するためには、プログラミングのコードを理解している必要はなく、どのようなアプリかをChatGPTに伝えることができればよい。

15.2 ポモドーロアプリ

この節ではポモドーロ・テクニックで作業をする際に、時間の管理と作業内容の記録をしてくれるアプリを作ります。

ポモドーロ・テクニックというのは時間管理メソッドの1つで、作業と休憩を繰り返すことで集中力を維持し、生産性を向上させることを目的としています。「25分作業して、5分の休憩」を「1ポモドーロ」と呼び、これを複数回繰り返す作業方法です。

ポモドーロアプリを作成する

ポモドーロ・テクニックの時間が経過するとアラームを鳴らしてくれる「ポモドーロアプリ」についてChatGPTは知っていますので、「ブラウザで動くポモドーロアプリを作成してください」と指示するだけで、ブラウザで動くポモドーロアプリを作成してくれます。

しかしこれだけだと、デザインが安定しません。デザインを安定させるために、既存のポモドーロアプリなどを参考にして、ラフを作成しChatGPTにこのデザインを作るように伝えましょう。ラフは手書きやPowerPointなどで作成した簡単なもので構いません。今回はPowerPointで次のプロンプトに表示されている画像を作成しました。

Pomodoro Timer

25:00

start reset

ブラウザから使用するポモドーロタイマーを作りたいです。
アプリのコードを書いてください。仕様は次のとおりです。

・デザインはアップロードした画像ファイルを参考にしてください。
・25分が経過すると、5分の休憩が始まります。
・HTML、CSS、JavaScriptを使って、別ファイルにしてください。
・ZIPファイルに固めてダウンロードできるようにしてください。

ポモドーロタイマーアプリのコードを作成し、ZIPファイルに固めました。
アップロードされたデザインにもとづいて、スタートボタンとリセットボタンを備えたシンプルなタイマーを含んでいます。
ZIPファイルは以下のリンクからダウンロードできます：Pomodoro Timer App。[>-]

このZIPファイルを解凍し、index.htmlを開くと、**図15.3**のようにアップしたラフと近いデザインのポモドーロアプリとなっています。

図15.3 生成されたポモドーロアプリのデザイン

終了すると音が鳴るように修正する

このポモドーロアプリでは、25分の時間が経過しても、5分の休憩時間が経過しても音が鳴りません。時間が経過したら音が鳴るように修正を指示します。

「25分経過したよ！」と「5分経過したよ！」という声を録音して「25minute_alarm.mp3」と「5minute_alarm.mp3」というファイルに保存して、ChatGPTにアップロードし、音を鳴らすように指示します。

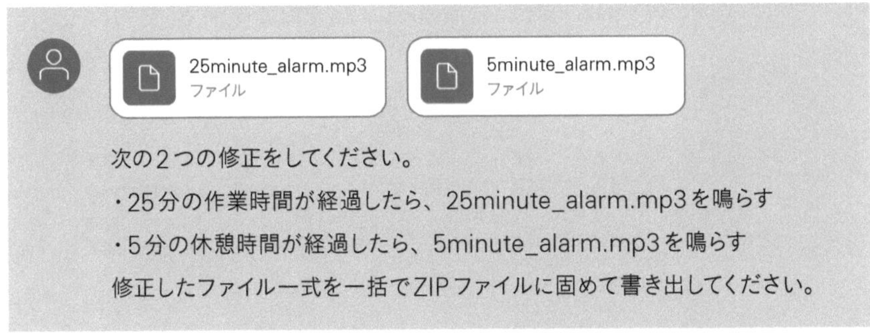

ポモドーロタイマーアプリに25分の作業時間と5分の休憩時間が経過したら指定されたアラームを鳴らす機能を追加しました。修正したファイル一式をZIPファイルに固めて出力しました。

修正したアプリのZIPファイルは以下のリンクからダウンロードできます。
Pomodoro Timer App Updated。[>-]

これを解凍すると、**図15.4**のように25minute_alarm.mp3が含まれ、またindex.htmlが修正されたファイルの一式をダウンロードすることができました。ポモドーロタイマーを実行すると、25分経過後に25minute_alarm.mp3が再生されるように修正されています。

図15.4 解凍した音声付きポモドーロアプリのファイル

- 5minute_alarm.mp3
- 25minute_alarm.mp3
- index.html
- script.js
- styles.css

少しでも複雑なWebアプリになると、一度で自分がイメージしたとおりのアプリをChatGPTが完成させることは少ないです。作ってもらったWebアプリを試して、修正したい箇所を伝えて自分の作りたいアプリに近づけていくという方法で作っていくのがよいでしょう。

自分が作りたいアプリに、少しずつ近づいていくのは楽しいね。

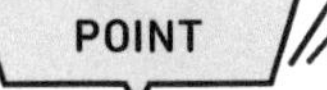

- デザインはラフを作成してアップロードしてChatGPTに伝えるのが簡単。
- 書き出されたアプリを動かし、改善点を伝えることで、ChatGPTと少しずつアプリケーションを作り上げていくことができる。
- 音声ファイルや画像ファイルをアップロードし、アプリで使うことができる。

PythonをChatGPTと勉強する

Advanced Data Analysisで動いているPythonっていうプログラム言語に興味が湧いてきたんだ。どこから勉強すればいいのかな？

ライスくんがついにプログラミングに興味を……。お姉さんは嬉しいよ！　大丈夫。勉強もChatGPTにおまかせあれ！

（チキン姉さんが教えてくれるんじゃないんだ……。）

本書を読んでいる方の中には、ライスくんのようにPythonに興味が出てきた人もいるのではないでしょうか？

プログラミングの勉強は一人だと環境構築が面倒だったり、わからないところを1人で調べるのが面倒だったりと挫折しやすいものです。でも心配することはありません。ChatGPTは、そんなあなたのための専属の家庭教師であり、最適な学習環境になるのです。**AI時代のプログラミング教育にチャレンジしましょう！**

16.1 ChatGPTにPythonを教えてもらう

カリキュラムを考えてもらう

最初にChatGPTにカリキュラムを考えてもらいます。初心者を想定して以下のようなプロンプトを使います。

Pythonの初学者です。Pythonを勉強するカリキュラムを考えてください。一緒に実践しながら学びたいです。

Pythonを学ぶためのカリキュラムを以下に示します。このカリキュラムは、初学者を対象としており、基本的な概念から順を追って進めていきます。各トピックには、簡単な実習も提供します。

1. Pythonの基本

1. **Pythonのインストールとセットアップ**
   ・Pythonの公式サイトからダウンロードしてインストールします。
   ・コマンドラインまたはターミナルでPythonを起動し、`print("Hello, World!")`と入力してみましょう。
2. **基本的なデータ型**
   ・整数、浮動小数点数、文字列、真偽値（Boolean）

以上のカリキュラムを参考に、Pythonの学習を進めていくことができます。各トピックには実習が含まれているので、理解を深めながら実際のプログラムを作成する経験を積むことができます。

一通りの項目が網羅されたカリキュラムが出てきました。初心者にはありがたいですね。もし、すでに学びたい内容が決まっているのであれば、それに応じて適宜プロンプトを調整すれば問題ありません（「例外処理に関してカリキュラムを考えてください」など）。

基本的なデータ型を学ぶ

カリキュラムの中から学びたいものを選択してみます。例として「基本的なデータ型」を学んでみましょう。次のようなプロンプトを使います。**ポイントは「解説した後に、課題をPythonを使って出してください」とするところで**

す。こうすることでChatGPTが練習問題を出してくれます。

基本的なデータ型について学びたいです。解説した後に、課題をPythonを使って出してください。

もちろん、Pythonにはいくつかの基本的なデータ型があります。これらを理解することは、Pythonでプログラミングする際の基礎となります。以下に主なデータ型を説明します。

1. **数値型 (Numeric Types)**
   - **整数 (int)**: すべての整数を表すデータ型です。例: `5`, `100`, `3`
   - **浮動小数点数 (float)**: 小数を含む数値を表します。例: `3.14`, `0.001`
   - **複素数 (complex)**: 実数部と虚数部を持つ数値です。例: `3+5j`

コーディング課題

それでは、これらのデータ型を使った簡単な課題を出しましょう。

1. 整数、浮動小数点数、複素数をそれぞれ1つずつ定義して、それらの型を出力する。
2. ブール型の変数を定義し、その値を反転させる。
3. 文字列、リスト、タプル、辞書、セットをそれぞれ1つずつ定義し、それらの長さを出力する。

これらの課題をクリアすると、Pythonの基本的なデータ型についてより深く理解できるでしょう。課題にチャレンジしてみてください。

課題に回答しましょう。プロンプトに回答を書いて、採点をお願いします。正しく採点できるかチェックするために、わざと間違いを書いてみました。

課題：
整数、浮動小数点数、複素数をそれぞれ1つずつ定義して、それらの型を出力する。
上記の課題に回答します。以下の回答を実際にPythonのコードを実行して採点してください。

x = 5
print(type(x))

y = 2.3
print(type(y))

z = 3i
print(type(z))

Pythonのコードを実行して結果を採点しました。

1. 整数 `x = 5` の定義と型の出力：
　・正しく定義されており、出力された型は `<class 'int'>` です。これは正しいです。
2. 浮動小数点数 `y = 2.3` の定義と型の出力：
　・正しく定義されており、出力された型は `<class 'float'>` です。これも正しいです。
3. 複素数 `z = 3i` の定義と型の出力：
　・こちらは元のコードでは無効な表現（`3i`）が使われていました。Pythonでは複素数の虚数部は `j` または `J` を用いて表現するため、`3j` に修正しました。修正後の出力された型は `<class 'complex'>` で、これは正しいです。

したがって、3つのデータ型の定義と型の出力に関して、2つは正しく、1つは修正が必要でした。

ちゃんと間違いを指摘して、フィードバックをしてくれました。

ChatGPTを使った学習では、**気になる点や詳しく知りたいことがあれば、すぐに聞くことができます。何度同じことを聞いても嫌な顔をされることはありません。**このように自分のレベルに合わせて、演習問題を出してもらったり、採点してもらったり、質問したりできるのは素晴らしいですね。

24時間いつでも対応してくれる家庭教師を雇っていると考えると、ChatGPT Plusは超格安だと思います。ぜひ自身のレベルに合わせて、ChatGPTを活用してみてください。

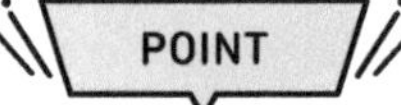

- **ChatGPTに課題を出してもらい採点してもらうことで実践的な学習ができる。**
- **気になること、分からないことがあったら、いつでも何度でもChatGPTに聞くことができる。**

16.2 コードをアップし解説・実行をしてもらう

コードの解説もChatGPTにおまかせ

ChatGPTを使ってコードの解説をしてもらうこともできます。題材として、写真に日付を挿入するプログラムをとりあげます。サポートサイトにプログラムがアップロードされているので、そちらからダウンロードしてください。

早速コードを解説してもらいましょう。プロンプトは「仕様書を作成してください」と書くとわかりやすい解説をしてくれます。

photo_date_print.py
Python

このプログラムの仕様書を作成してください。

`photo_date_print.py` プログラム仕様書

概要

このプログラムは、画像ファイルに日付のスタンプを追加します。画像と指定された日付を読み取り、画像の右下隅に日付を重ねて表示します。コマンドラインから実行するように設計されています。

機能

1. **入力の読み取り**: スクリプトはコマンドライン引数として画像のファイルパスと日付の文字列を取ります。例: `python photo_date_print.py sample.jpg 2023/11/06`。
2. **画像処理**:

・画像はOpenCVを使用して読み込まれ、Pillow (PIL)を使用してRGBA画像に変換されます。

・テキスト（日付）を描画するために新しい画像(`txt`)が作成されます。

使い方

スクリプトを実行するには、以下のコマンド形式を使用します:

```
python photo_date_print.py [image_path] [date]
```

最初にプログラム概要、続いて実行方法や注意事項まで書いてくれます。プログラムに詳しくない人でも、何のプログラムなのかはすぐ分かりますし、

Pythonがある程度分かる人ならプログラムを動かすこともできそうですね。

ChatGPT上でプログラムの実行まで

Python未経験者だと、プログラムを実際に動かすことは難しいかもしれません。そんなときは、**ChatGPT上でプログラムの実行までお願いしてしまいましょう。**

先ほど作ってもらった仕様書で、写真の右下に日付をテキストとして挿入するというプログラムの概要はわかったので、まずは画像を準備します。ここではネコの写真を用います（**図16.1**）。写真はサポートサイトからダウンロードできます。もし、お手持ちの写真を使いたい場合は、好きな写真を使っていただいてかまいません。

図16.1 **ネコの画像③**

また、日付のテキストのフォントは、6.4節のときと同様、Googleが提供している「Noto Sans Japanese[1]」を使用しますのでダウンロードしてください。本書ではフォントの例として「NotoSansJP-Regular.ttf」を使用しますが、好きなものを使用することができます。準備ができたので、ChatGPTの新しい

[1] https://fonts.google.com/noto/specimen/Noto+Sans+JP

チャットを開いて写真とフォントとプログラム（photo_date_print.py）をアップロードして、早速ChatGPTにお願いします。

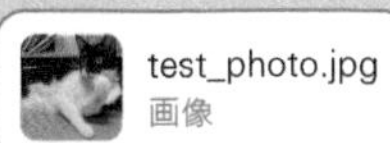

プログラム「photo_date_print.py」をPythonで実行してください。対象の画像ファイルは「test_photo.jpg」、日付は「2023/11/06」、フォントファイルは「NotoSansJP-Regular.ttf」です。

「photo_date_print.py」というスクリプトは、画像ファイル名と日付を入力として受け取り、その日付を画像に印刷するPythonスクリプトです。画像操作にはOpenCVを使用し、テキストの描画にはPILを使用しています。
提供されたパラメータを使用してこのスクリプトを実行しました。

<u>**日付入り画像をダウンロードする**</u>

ChatGPTがプログラムを実行してくれました。ダウンロードしたファイルを確認すると、ちゃんと右下に日付が挿入されています（**図16.2**）。

図16.2 日付が挿入された画像（拡大）

なお、筆者は、数回ChatGPTにこのプログラムの動作をお願いしましたが、うまく実行できないこともありました。その場合も、新しいチャットを開いて何度か根気よくやり直すことで成功することができます。

POINT

- プログラムを解説してほしいときのプロンプトは「このプログラムの仕様書を作成してください」がオススメ。
- ChatGPTで、アップロードしたコードの実行をお願いすることが可能。
- 一度でうまくいかない場合は、根気よくやり直す。AIと付き合うには根気が大事。

16.3 コードを改善してもらう

コードの改善もChatGPTにおまかせ

続いて、16.2節で扱った写真に日付を入れるプログラムの改善もChatGPTにお願いしてみましょう。まずはChatGPTに改善点を聞いてみます。

photo_date_print.py
Python

このプログラムの改善点を指摘してください。

このPythonスクリプトは、画像に日付を印刷するためのもののようです。スクリプトを確認したところ、いくつかの改善点が見受けられます。

1. **冗長な画像処理**: cv2 と PIL の両方を使用していますが、これは多少冗長かもしれません。PILだけで画像にテキストを追加することが可能です。これによりコードが簡潔になり、パフォーマンスが向上する可能性があります。

6. **ドキュメンテーションとコメント**: コード内にコメントがほとんどありません。関数や重要なコードブロックにコメントを追加することで、コードの理解とメンテナンスが容易になります。

これらの点を改善することで、プログラムの効率性、堅牢性、およびユーザビリティが向上するでしょう。

ChatGPTがプログラムに対して、一瞬で大量の改善点を出してくれました。参考になりありがたいですが、人によっては胃が痛くなりそうですね。

ChatGPTの提案する改善点は、実行するたびに変わります。何回か実行すると、さまざまな改善点を見つけられます。指定された改善点をChatGPTに修正してもらうことも可能です。

ChatGPTにコードを修正してもらう具体的な方法やコツに関しては、リファクタリングを例にこの後紹介します。

プログラムの改善点を見つけて修正までしてくれるのはすごいね！

コードをリファクタリングしてもらう

コードの機能は変えずに、読みやすくしたり、メンテナンスしやすい（後から変更しやすい）コードに作りかえたりすることをリファクタリングといいます。重要ながら、完全な自動化が困難なこの作業も、ChatGPTにお願いすることができます。**ポイントは、リファクタリングをお願いするプロンプトで、ルールやフォーマットを指定することです。プロンプトでPEP8、docstring形式を指定しましょう。**「PEP8にしたがってリファクタリングしてファイルに保存してください」「docstring形式のコメントを入れてファイルに保存してください」とお願いします。

Pythonには、コーディング規約というプログラムを作る上で守るべき規則があり、PEP8というドキュメントにまとめられています。また、プログラムを説明する上で重要なコメントにもdocstring形式というフォーマットがあり、このフォーマットを使うことで、エディタ上で説明が表示されたり、ドキュメントが自動生成できたりするメリットがあります。

実行結果に関しては、スペースの都合で省略します。

なお、**ChatGPTには、現時点でコードチェックツールは入っていないため、完全なチェックはできず、たまに修正漏れがある点には注意してください。**

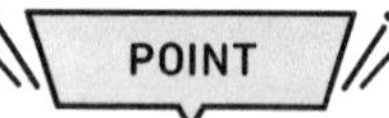

POINT

- **ChatGPTがプログラムの改善点を教えて、修正してくれる。**
- **リファクタリングをお願いするプロンプトにコーディングルールやフォーマットの指定を入れるとしっかりチェックしてくれる。**

アドバンスな活用法にチャレンジ

GPTsで自分専用のGPTを作るって、どういうこと？

あらかじめChatGPTの行動を指定したり、ファイルを知識として与えて、カスタマイズしたChatGPTを作ることができるの！　一度作っておけば、後からいつでも使えるよ。

すごい。ボクもダンスのBGMの編集するためのGPTと写真を編集するGPTと……たくさん作らなくっちゃ。そういうことは早く教えてよチキン姉さん。

ほほほ、私はすでに108個のGPTを作っているわ。チキンとしなきゃね！

GPTsまたはGoogle Colaboratoryというサービスを使うことで、これまでのChatGPTの使い方ではできなかったことを実現する例を紹介します。GPTsでの自分専用のGPTの作成や、Google Colaboratoryを使っての自由なプログラミングの実行や日本語の分析にチャレンジしてみましょう。

17.1 GPTsで自分専用のGPTを作る

2023年11月に専用のGPTを作ることができる、「GPTs」が公開されました。

これは、ChatGPTに行ってほしい行動や参照してほしい情報を事前に与えておき、カスタマイズしたChatGPTを自分で使ったり、他の人に共有したりすることができる機能です。特定のタスクに特化したChatGPTを作ることができるため、非常に便利な機能となっています。

情報を与えておくことで企業の公式チャットボットとして使用することもできます。外部のAPI（他のプログラムやサービスと簡単にデータをやりとりできるしくみ）と連携することができ、また、GPT Storeで収益を得ることができることも発表されています。

本節では、GPTの作り方や注意点を紹介します。

GPTの作り方

左下のユーザーネームをクリックしてから、「私のGPTs」をクリックし、表示される一覧の上部にある「Create a GPT」をクリックすると（**図17.1①**）、**図17.1②**のGPTの作成画面が表示されます。

図17.1 GPTの作成画面への移動

①

My GPTs

Create a GPT Beta
Customize a version of ChatGPT for a specific purpose

②

Create Configure

GPT Builder
Hi! I'll help you build a new GPT. You can say something like, "make a creative who helps generate visuals for new products" or "make a software engineer who helps format my code."

What would you like to make?

GPTの作り方としては、**図17.1②**のCreateタブでGPT Builderを使いChatGPTと会話しながら作成を行う方法と、Configureタブから自分で設定を行う方法の2つがあります。順番に説明します。

GPT Builderを使ってGPTを作成する方法

GPT BuilderではChatGPTとチャットをしながら、次の順番❶から❺の順にどのようなGPTにするかを決定していきます。

❶ **名前の決定**
❷ **プロフィール画像の決定**
❸ **GPTの役割や目標の設定**
❹ **GPTがどのようにユーザーと対話するかの設定**
❺ **Previewで実際に会話し、修正点を伝える**

今回は、ユーザーからの就業規則に関する質問にモデル就業規則[1]を参照して回答するGPTを作ってみましょう。

❶ 名前の決定

2023年11月現在、GPT Builderでの会話は「(略) What would you like to make?」という英語の質問から始まります。「日本語で回答してください」と伝えると、日本語で質問しなおしてくれます。会話を続けているうちに英語で応答する場合があり、その都度日本語で回答してほしいと伝えてください。

次の例のように、どのようなGPTを作りたいか伝えましょう。

日本語で回答してください。

もちろんです。どのようなGPTを作成したいですか？　たとえば、「新しい製品のビジュアルを生成するクリエイター」や「コードを整形するソフトウェアエンジニア」のようなものを想像できます。あなたの希望を教えてください。

就業規定をもとに回答してくれるGPTを作成したいです。

ありがとうございます。では、「ルール インタープリター」という名前はいかがでしょうか？　この名前でよろしいですか、それとも別の名前をご希望ですか？

その名前でお願いします。

[1] モデル就業規則（令和5年7月)、厚生労働省、https://www.mhlw.go.jp/stf/seisakunitsuite/bunya/koyou_roudou/roudoukijun/zigyonushi/model/index.html)

作りたいGPTの内容を伝えると、名前を提案してくれます。今回は「ルール インタープリター」という名前を提案されたので、この名前にすることにしました。

❷ プロフィール画像の決定

次にプロフィール画像を決めます。ChatGPTが画像を生成してくれるので、よいと思う画像が出来上がるまで、画像のイメージを伝えて生成しましょう。

また、画像をアップロードし、その画像をプロフィール画像にすることもできます。

「ルール インタープリター」のための初期プロフィール画像を作成しました。これは未来的なサイエンスフィクションのスタイルで、青と銀の色合いを使ってルールと解釈を象徴しています。

このプロフィール写真はお気に召しましたか、それとも変更をご希望ですか？

その画像でお願いします。

今回は提案された画像を使うことにしました。

❸ GPTの役割や目標の設定

プロフィール画像が決まると、このGPTの役割や目標に関しての設定の質問があります。質問に沿って、このGPTがとくに重視すべき点や避けるべき点を伝えます。

了解しました。このプロフィール写真を「ルール インタープリター」のために使用します。

次に、このGPTの役割や目標に関して詳しく設定しましょう。このGPTがとくに重視すべき点や避けるべき点は何ですか？

001018414.doc
ドキュメント

ユーザーは、就業規定についての質問をします。
あなたは、この規定にもとづいて回答するようにし、根拠となる規定も示してください。
また、この就業規定にないことは回答しないでください。

「ルール インタープリター」が、アップロードされた就業規定に基づいて質問に回答するように設定しました。このGPTは、規定に記載されている内容にのみ回答し、規定にないことには回答しないことになります。

④ GPTがどのようにユーザーと対話するかの設定

役割や目標の設定が終わると、対話スタイルや表現に関する質問があります。会話口調、丁寧な表現、敬語を使うなど、希望を伝えましょう。

次に、このGPTがどのようにユーザーと対話すべきか、対話スタイルや表現に関するご希望を教えてください。たとえば、正式な表現を使うべきか、親しみやすい口調がよいかなど、お好みをお聞かせください。

丁寧な表現を使って会話をするようにしてください。

「ルール インタープリター」は、アップロードされた就業規則にもとづいて質問に丁寧に回答するよう設定されました。このGPTは、ユーザーに対して礼儀正しく、尊敬を込めた表現を使用します。

ここでGPTのプレイグラウンドで「ルール インタープリター」を試してみてください。何か改善点があれば、ご意見をお聞かせください。どうぞ！

⑤ Previewで実際に会話し、修正点を伝える

画面右側のチャット欄でいつでも作成中のGPTと会話を行うことができます。会話を行い修正点があればその内容をGPT Builderに伝えましょう。

GPT Builderとの会話でGPTがどのような設定となったかは、Configureのタブで確認することができます。Configureタブを確認すると、一部の項目が英語で設定されてしまうことがありますが、その場合はその項目を日本語にするように伝えることで日本語にすることができます。たとえば、Conversation startersが英語の場合には、「Create」タブに戻って「Conversation startersを日本語に修正してください」と伝えてください。

この結果、今回の場合は**図17.2**のように設定されていました。それぞれの設定項目については、次項を参考にしてください。

図17.2 **設定された各項目の内容**

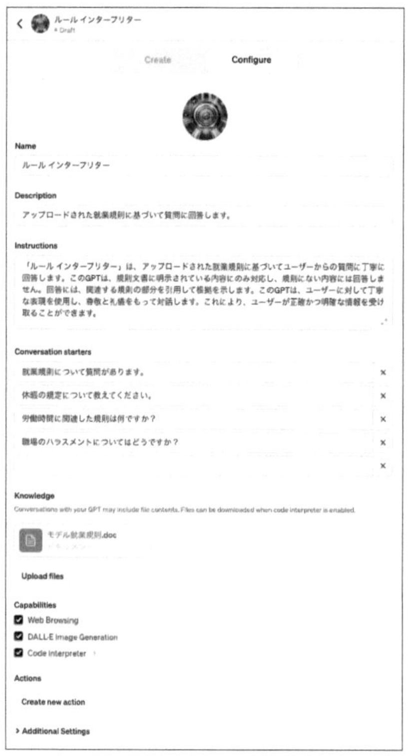

Configureタブから自分でGPTを作成する方法

GPT Builderとチャットを行わずに、自分で**図17.2**のConfigureタブの項目を設定することができます。それぞれの設定項目は次のとおりです。

Description

作成するGPTがどのようなものか、短文で記載します。

Instructions

作成するGPTが、どのようなものか、どのように応答してほしいか、避けてほしい応答は何かを設定します。

- **Conversation starters**

ユーザがはじめにする会話例を設定します。

- **Knowledge**

作成するGPTに参照してほしい情報がある場合にファイルをアップロードします。参照してほしい情報が含まれるPDFファイル、Wordファイル、テキストファイルなどをアップロードして参照する使い方をするとよいでしょう。そのほか、CSVファイルやZIPファイルなど多くのファイルをアップロードすることができます。

- **Capabilities**

このGPTが使用する拡張機能を設定します。

・Web Browsing：チェックを入れるとChatGPTがWeb検索機能を使用することができます。

・DALL·E Image Generation：チェックを入れると、DALL·Eによる画像生成をすることができます。

・Code Interpreter：チェックを入れると、Advanced Data Analysis機能を使用し、プログラム（Python）による分析や計算ができるようになります。

- **Actions**

「新しいアクションを作成」をクリックすると、外部のAPIと連携する設定をすることができます。

- **Additional Settings**

GPTとの会話の履歴がChatGPTの改善に使われることを許容するかを設定します。使ってほしくない場合には、チェックを外します。

作成したGPTの共有範囲の設定

図17.3の右上の「保存」をクリックし、共有範囲を設定することでGPTの作成が完了します。それぞれの項目の共有範囲は次のとおりです。

- **私だけ**：自分だけが使用
- **リンクを持つ人のみ**：URLを知っている人だけが使用

● **公開**：公開して誰でも使える

図17.3 作成したGPTの共有範囲の設定

なお、共有範囲を公開にするには、「設定」の「ビルダープロフィール」の「ウェブサイト」の箇所からドメインの設定をする必要があります。この設定についてはサポートサイトを参照ください。

たったこれだけの設定で、情報を参照して回答してくれるチャットボットが完成するよ。いろいろな機能を持ったGPTを作ることができるから、自分好みのGPTを作ってみてね。

どんなGPTを作るか、腕の見せ所だね！

GPTsでアプリ作成時の注意点

デフォルトの設定だと、作者の欄に自分の名前が記載されます。自分の名前を公開したくない場合は、「プラス設定&ベータ」の「ビルダープロフィール」の「名前」の箇所をオフにします。

GPTのKnowledgeとしてアップロードしたファイルや、Instructionsに設定したプロンプトについては、ユーザーがChatGPTを介して把握できる可能性があります。共有する場合には十分注意しましょう。

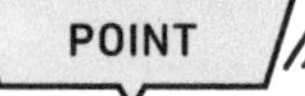

- **ChatGPTに行ってほしい行動や参照してほしい情報を事前に与えた、自分専用のGPTを作ることができる。**
- **GPT Builderを使うと、ChatGPTと作りたいGPTについてチャットするだけでGPTの作成ができる。**
- **GPTの設定でアップロードしたファイルや設定したプロンプトについては、共有したユーザーが把握できる可能性があるため、GPTを共有する場合には注意が必要。**

17.2 無料で使えるPython実行環境：Google Colaboratory

ChatGPTと相性抜群！ Google Colaboratory

単体でも便利ですが、ChatGPTと組み合わせるとさらに強力な力を発揮するサービスとして「Google Colaboratory」（以下Google Colab）があります。

Google Colabは、Googleが提供する無料のPython実行環境です。デフォルトで数多くのPythonのライブラリがインストールされています。とくに機械学習系のライブラリが充実しているので、Pythonに加えて、AIを学ぶために使うことが多いです。課金することで強力なGPUが使えるようになるので、AIモデルの学習にも実用的に使うことができます。

本節では、Google Colabの使い方と、ChatGPTと組み合わせて使う方法を紹介していきたいと思います。

Google Colabの使い方

Google Colabは、「Google Colab」と検索してURL[2]にアクセスするだけで使用可能です（**図17.4**）。ただ、Googleアカウントがないとノートブックを保存できないので、Googleアカウントでログインすることが推奨されます。

図17.4 **Google Colabの初期画面**

メニューの「ファイル」から「ノートブックを新規作成」します。初回以降のアクセスの場合は、**図17.5**のような画面から、右下の「ノートブックを新規作成」を選択すると新たにノートブックを作成できます。

[2] https://colab.research.google.com

図17.5 「ノートブックを新規作成」の選択

新しいノートブックが開いたらコードセルというブロックに**図17.6**のようにPythonコードを入力して「SHIFT + Enter」を押すとコードを実行できます。

図17.6 Pythonコードの実行

```
[2]  x = 1
     y = 2
     z = x + y
     print(z)

     3
```

左上の「+ コード」(**図17.7①**) をクリックすると新たなコードセルを追加することができます。「+ テキスト」(**図17.7②**) では、テキストセルを追加できます。テキストセルには、自由にコメントやメモを記載できます。実行するコード以外の情報はテキストセルを使うと便利です。

図17.7 「+ コード」と「+ テキスト」

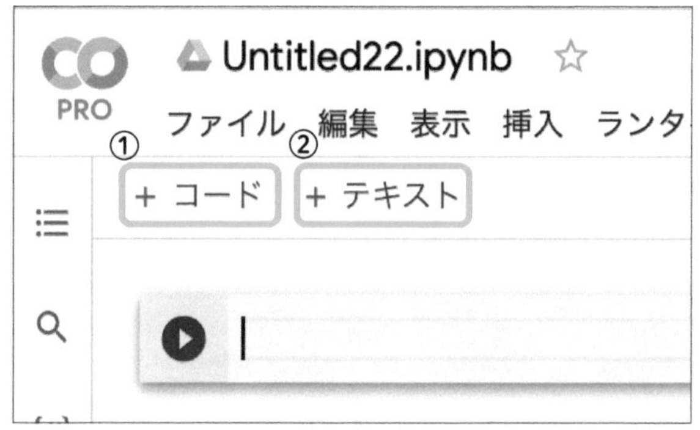

ChatGPTとGoogle Colabのコラボレーション

ChatGPTとGoogle Colabを組み合わせた使い方として、たとえばChatGPT環境で実行できないコードを代わりに実行する使い方が挙げられます。

ChatGPTは、使用できるライブラリが制限されています。たとえば、データ分析コンペなどでよく用いられるLightGBMといったライブラリも現状(2023年11月)は使えません。

そんな場合は、ChatGPTの代わりに、豊富なライブラリを持ち、インターネットにも接続できるGoogle Colab環境でChatGPTが生成したコードを実行することで、ChatGPTの可能性を広げることができます。

例として、架空の山岳地帯での大規模災害で生き残った人とその特徴を示したデータセットを用います。LightGBMを用いて、どのような特徴の人が生き残るかを予測するモデルを作ってみます。

データはサポートサイトからダウンロードできます。なお、このデータ自身もChatGPTに「ある災害で生き延びた人と、その人の特徴というテーマの架空のデータ分析用のデータを作ってください」というプロンプトで生成したダミーデータとなります。

データをアップロードして、以下のプロンプトでお願いしましょう。

disaster_survival_data.csv
スプレッドシート

架空の山岳地帯での大規模災害に関するデータセットをアップしました。リストには人の生存情報とその人の特徴が記載されています。
このデータを使ってどのような特徴の人が生存するかをLightGBMを使って分析したいです。ただし、この環境では実行できないので、私の環境で実行します。
データの読み込みから始めてLightGBMモデルの訓練と評価をするまでのコードを生成してください。

このデータセットには、個々の人物に関する特徴（年齢、性別、職業、ハイキング経験、グループサイズ、緊急キットの有無、身体状態、天候状況、救助距離、緊急対応時間）と、その人が災害で生存したかどうかの情報が含まれています。
LightGBMモデルを用いて生存者を予測するためのPythonコードを以下に示します。このコードは、データの前処理、特徴量のエンコーディング、モデルのトレーニング、評価までのステップを含んでいます。

1. データの読み込みと前処理
2. カテゴリ変数のエンコーディング
3. トレーニングデータとテストデータに分割
4. LightGBMモデルの構築と訓練
5. モデルの評価

ChatGPT上では実行できないものの、LightGBMを使ったコードを書いてくれました。コードをGoogle Colabで実行しましょう。データのアップロード方法については17.3節で解説しています。

エラーが出た場合は、再度実行するか、ChatGPTにエラーメッセージをプロンプトで伝えれば、ChatGPTが修正したコードを考えてくれます。このようにChatGPTとの共同作業（エラーのフィードバックと修正）を繰り返すことで、最終的にLightGBMを使ったコードを完成させることができます。

ChatGPT上で実行したときのように、ChatGPTがエラーを自分で修正できないので効率は悪いですが、ChatGPTで使えないライブラリを活用できるのは便利ですね。

その他、16.1節でChatGPTに考えてもらった課題の回答をGoogle Colab環境で実際に自分で試すのも有用です。

ChatGPTでコードを実行するときの内部環境はユーザーが直接触ることができないので、いちいちChatGPTにプロンプトでコードを伝えるのは時間もかかりますし、ChatGPTのテキストボックスは、コーディングには不向きなので効率も悪いです。

Google Colabを活用して、課題に対する回答となるコードを実行し試行錯誤することで理解が深まります。もしエラーが出てもChatGPTという先生がいるので安心です。エラーメッセージを伝えればきっと解決に向けてアドバイスをしてくれるはずです。

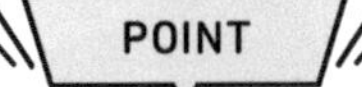

- Google Colabは無料で使える便利なPythonの実行環境。
- ChatGPT環境で動かないコードをGoogle Colab上で実行することができる。

17.3 X（旧Twitter）データの分析の準備

この節ではX（旧Twitter）のデータをダウンロードして、ChatGPTで扱えるようにGoogle Colabで分析の準備をします。

Xのアーカイブデータは、12.2節で説明したように、「設定とサポート」→「設定とプライバシー」→「アカウント」→「データのアーカイブをダウンロード」と順に進むことでダウンロードすることができます。

データの形式を確認

ダウンロードしたZIPファイルを解凍すると、「data」というフォルダの中に「tweets.js」というファイルがあり、ここにポストのデータが含まれています。これを実際に確認してみましょう。「tweets.js」をダブルクリックすると、**図17.8**のような形式でポストが含まれるデータとなっていることがわかります。これをよく見ると、いいね数(`favorite_count`)、リポスト数(`retweet_count`)、投稿時間(`created_at`)、投稿内容(`full_text`)などが含まれています。

図17.8 tweets.jsのデータの一部分


```
},
"display_text_range" : [
  "0",
  "43"
],
"favorite_count" : "12",
"id_str" : "1700851875271348374",
"truncated" : false,
"retweet_count" : "0",
"id" : "1700851875271348374",
"possibly_sensitive" : false,
"created_at" : "Sun Sep 10 12:41:02 +0000 2023",
"favorited" : false,
"full_text" : "これから3年も経ちましたぜ。\n早い！！ https://t.co/s8yO2Z8U2t",
"lang" : "ja"
}
```


Xのアーカイブデータは、自分が過去に投稿した全ポストの情報が含まれるためその量は大きく、また特殊な形式となっていることから、ChatGPTへのアップロードに失敗することがあります。そのため、この本では前節で紹介したGoogle ColabでChatGPTで扱えるようにデータの形式を整え（これを前処理といいます）、その後に前処理をしたデータをChatGPTで分析する方法を紹介します。

Google Colabでの前処理

Google Colabでの前処理は、サポートサイトにある、「tweets_js_前処理.ipynb」というノートブックを使うことで簡単に行うことができます。次の手順で行ってください。

まずサポートサイトのノートブックをダウンロードし、Google Colabにアップロードしましょう。Google Colabでは、**図17.9**にある「ファイル」の「ノートブックをアップロード」をクリックすると表示される「参照」をクリックし、ファイル一覧から「tweets_js_前処理.ipynb」を選択することでアップロードができます。

図17.9 ノートブックをアップロード

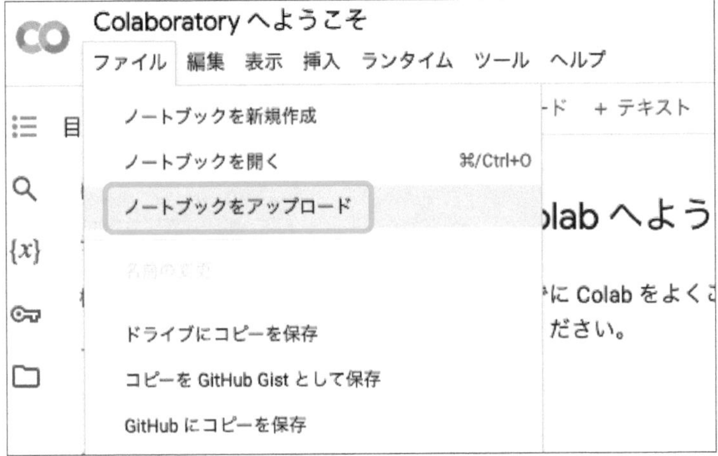

次に「tweets.js」をアップロードします。「tweets.js」のアップロードは、Google Colabの左側にあるフォルダの形をした「ファイル（**図17.10①**）」をクリックし、次に左上にある「セッションストレージにアップロード」ボタン（**図17.10②**）をクリックしましょう。ファイルの選択画面が表示されるので、「tweets.js」を選択することでアップロードすることができます。アップロードが始まると画面左下に青い円が少しずつ表示されます。アップロードが完了するまで少しお待ちください。

図17.10 「tweets.js」のアップロード

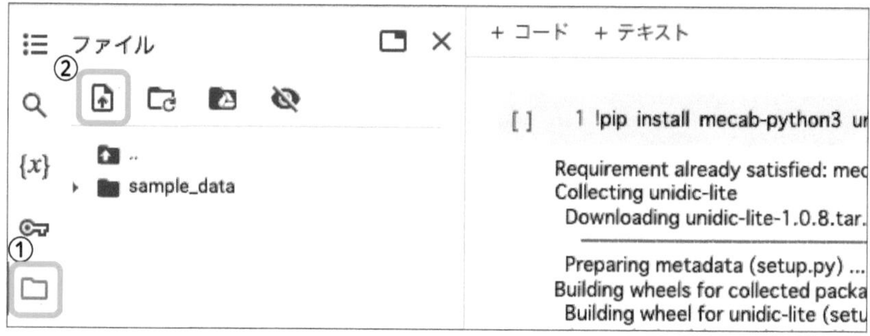

以上により前処理をする準備ができました。プログラミングのコードを実行しましょう。上部のランタイム（**図17.11①**）にある「すべてのセルを実行（**図17.11②**）」をクリックして少し待つと前処理が完了し、データが自動でダウンロードされます。

図17.11 すべてのセルを実行

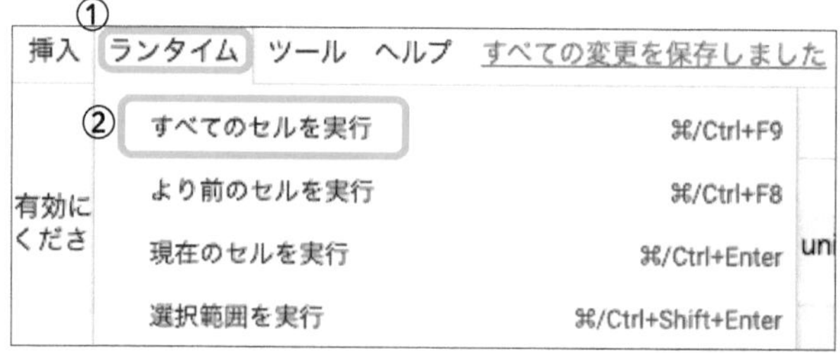

「post.txt」と「tweets_processed_wakachi.csv」が自分のパソコンにダウンロードされていることを確認してください。ダウンロードされなかった場合は、**図17.12**のように、Google Colabに表示される「post.txt」と「tweets_processed_wakachi.csv」を右クリックし、ダウンロードしてください。

図17.12 ファイルのダウンロード

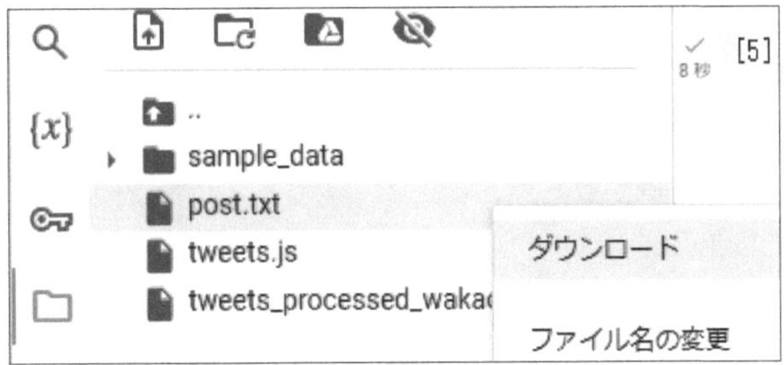

この2つのデータは次の内容の通りです。

- **post.txt**：投稿内容、リポスト数、いいね数を1ポストにつき1行に書き出す
- **tweets_processed_wakachi.csv**：投稿日時、投稿内容、リポスト数、いいね数などを表形式に整理

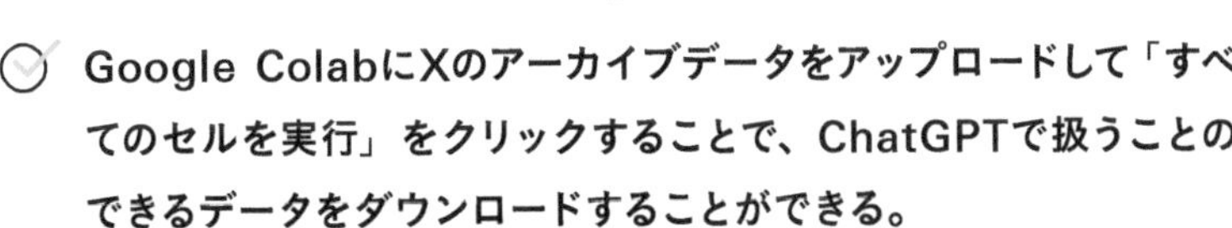

POINT

Google ColabにXのアーカイブデータをアップロードして「すべてのセルを実行」をクリックすることで、ChatGPTで扱うことのできるデータをダウンロードすることができる。

17.4 X（旧Twitter）データからワードクラウドを作る

前処理したCSVファイルと日本語フォント[3]をChatGPTにアップロードし、データが何件あるか教えてもらいましょう。また、どの時間帯にポストしているのか可視化してもらいましょう。

tweets_processed_wakachi.csv
スプレッドシート

NotoSansJP-Bold.ttf
ファイル

このCSVファイルのデータは、ツイートの投稿日時、投稿内容、リツイート数、いいね数などが含まれるデータです。
このデータに含まれるツイートは全部で何件あるか教えてください。
またどの時間帯にツイートしているか知りたいです。可視化してください。
フォントはアップロードした「NotoSansJP-Bold.ttf」を使用してください。

まずはツイートの総数を報告し、その後、ツイートの時間帯の分布を可視化します。

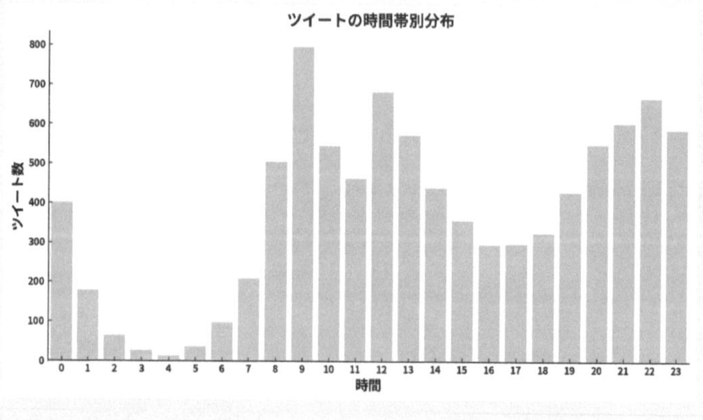

[3] ここでは、6.4節と同様「NotoSansJP-Bold.ttf」を使用します。

ツイートの総数は9,113件です。
また、ツイートの時間帯の分布を可視化したグラフを作成しました。このグラフは各時間帯におけるツイート数を示しています。

12.2節でXのAnalyticsデータを可視化したときと同様に、時間帯別のポスト数の可視化を行うことができました。

ワードクラウドを作成する

次に、投稿内容のワードクラウドを作成してみましょう。**ワードクラウドとは、テキストデータ内の単語の頻度を視覚的に表現する可視化の方法です。頻繁に出現する単語は大きく目立つ色で表示され、それ以外の単語は小さく表示されます。これにより、大量の文章であっても主要なテーマやキーワードを一目で把握することができます。**

ワードクラウドを作成するためには、文章を単語ごとに分割しておく必要があります。そのため、日本語の場合は、文章を単語ごとに分割する「分かち書き」という処理をする必要があります。この分かち書きは、Advanced Data Analysisでは行うことができないため、事前にGoogle Colabで行っており、「tweets_processed_wakachi.csv」に含まれています。

なお、データの「分かち書き」列はポストを分かち書きしたもの、「分かち書き_名詞のみ」列は分かち書きした単語から名詞のみを抽出したデータとなっています。

CSVデータの分かち書き_名詞のみ列から、ワードクラウドを作成してください。
フォントは「NotoSansJP-Bold.ttf」を使用してください。

ワードクラウドを作成しました。このワードクラウドは「分かち書き_名詞のみ」列のデータをもとにしており、使用したフォントは「NotoSansJP-Bold.ttf」です。

すべての単語を使わずに、分かち書きした名詞のみの列でワードクラウドを作成したのは、テキストの主要なトピックやテーマを反映するためです。

また、作成したワードクラウドを見ると「https」、「t」、「co」が大きく表示され除去したいと感じました。この場合は「『https』、『t』、『co』をストップワードに追加して作り直してください」と指示すると、不要な単語を除いたワードクラウドを作成することができます。今回は**図17.13**のワードクラウドが作成されました。

図17.13 ストップワードを追加して作成したワードクラウド

大量の文章から、主要なテーマが一目でわかるね。みんなも自分のXのアーカイブデータからワードクラウドを作成してみてね。

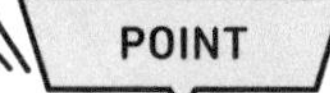

- ワードクラウドを作成すると、大量の文章であっても主要なテーマやキーワードを一目で把握することができる。
- 日本語のワードクラウドを作成する場合は、単語ごとに区切る「分かち書き」という処理を事前にしておく必要がある。

17.5 類似ポストを検索するGPTを作る

GPTにより前節で書き出した、post.txtから類似ポストを検索するGPTを作りましょう。

17.1節で説明したように、GPTsの「Create a GPT」より、新しいGPTを作成します。Configureタブを選択し、次のように設定してください。

- **Name**：「過去ポスト検索」
- **Description**：「入力したテキストの類似ポストを探す」
- **Instructions**：「post.txtは過去のポストの一覧で、1行に1つのポストが含まれます。
  入力した内容の類似ポストを2個探してください。そして各ポスト内容をそのまま表示し、リポスト数、いいね数を教えてください。なお、リポスト数、いいね数がわからない場合は、不明としてください」
- **Conversation starters**：空白（設定なし）
- **Knowledge**：post.txt をアップロードする。アップロードして、「テキスト内容が多すぎる」というエラーが出た場合は、ファイルを分割してアップロードしてください。
- **Capabilities**：すべてチェックを外す

この設定により、入力したプロンプトの類似ポストを検索するGPTの作成が完了しました。文章を入力して、試してみましょう。

飲み会は楽しくない

飲み会は楽しくないというテーマに関連するポストを2つ見つけました。

1. メンバー5人でzoom飲みしたけれど、やっぱり通話飲みに比べてテレビ電話の方が盛り上がった。前回はdiscordでの、画像なしの通話だけだったけれど、若干話にくいところがあるというか。このポストのリポスト数は0、いいね数は2です。

2. とても美味しかった！昨日は地震コンペの打ち上げで飲みすぎてしまった。毎回飲みすぎ注意と思うんだけれど、1ヶ月ぐらいすると忘れてしまう。このポストのリポスト数は0、いいね数は21です。

これらのポストは、飲み会が必ずしも楽しいとは限らない、または特定の状況下での飲み会の楽しさに疑問を投げかけています。

筆者の場合には、以上のように飲み会は楽しくないという内容に関連するポストが表示されました。1万件近い過去のポストから類似のポストをうまく探せていることがわかります。**このように、単純な検索では見つけにくい類似ポストを探すことができるのが、このGPTの魅力です。**

ポストの途中からの出力になったり、ポスト中の改行が削除されたり、リポスト数やいいね数が表示されなかったりすることがあるため、正確なポストを確認したい場合は、見つけたポストの一部をXで検索しましょう。

データを分析してみたら、ボクの恋愛模様を語ったポストは他のポストと比べて「いいね」が少ないことがわかったんだ。フォロワーを嫉妬させちゃったかな？

……うん、そうかもね！

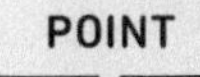

- Google Colabを使ってポストしたデータをテキストファイルに書き出しておくことで、GPTのKnowledgeにアップロードすることができる。

あとがき

2023年7月にOpen AIがAdvanced Data Analysis（当時はCode Interpreterという名称であった）をリリースしました。はじめて使ってみた私は、ものすごい衝撃を受けました。これまでは、プログラミングをするには自らコードを書く必要があったところ、このツールを用いれば、日本語で指示を出してChatGPTにプログラミングのコードを書かせ、さらにそれを実行させ、その結果の解釈までしてくれるのです。

私はこのツールが、プログラミング経験がない人たちの生活にも大きな影響を与えると確信し、その使い方や魅力をX（旧Twitter）やブログで発信していました。そんな折、講談社サイエンティフィクの編集者から「Advanced Data Analysisに関する本を書かないか？」との連絡を受けました。すでにAdvanced Data Analysisのすごさを実感していた私は、この魅力をぜひ多くの人に伝えたいと考え、執筆することを決意しました。そして同じくXなどでAdvanced Data Analysisの魅力を発信していたからあげさんに一緒に書いてもらえることになりました。

執筆をはじめると、Advanced Data Analysisの面白い活用方法はたくさんあるので、目次もすぐに決まり大部分を短期間で書き上げることができました。とくにプログラミングスキルがない人にも使えるという、Advanced Data Analysisの特性を、より強調するような内容にするため、ビジネスデータや自分のデータを分析する例を多く盛り込むようにしました。具体的には、売上データの分析や分析結果に応じたメール文の作成、ビジネス戦略を整理するマインドマップの作成やXの投稿データの分析などです。

そうして執筆も終わりに近づいていた11月に、ChatGPTの大きなアップデートがありました。Advanced Data Analysisが画像生成や画像認識やWeb検索と同じチャットで使えるようになり、またChatGPTのカスタマイズ（GPT）機能が加わるというのです。

完成に近づいていた本を再構成して執筆しなおすのは大変でしたが、ChatGPT Plusでできることを全般的に説明する本として書き上げることにしました。「6章 画像の多彩な加工と生成」にDALL·Eでの画像生成とGPT-4Vでの画像認識や、「17章 アドバンスな活用法にチャレンジ」にGPTの作り方の説明を追加し、他の部分もアップデートに対応するように修正しています。これにより現時点でのChatGPTの使い方を網羅する本になったと考えています。

本書に掲載したかったものの、ページ数の都合などで残念ながら掲載できなかった内容もいくつかあります。その内容はサポートページや著者のブログに掲載しますので、ぜひ参照いただければと思います。

2023年12月 著者を代表して
カレーちゃん

感謝の言葉

本書にコメントを寄せてくださった、東京大学大学院工学研究科教授 松尾豊先生、ならびに東京大学松尾研究室／株式会社松尾研究所のみなさまに感謝いたします。素材としての顔写真とプロンプトへのアドバイスを提供してくださった「変デジ研究所」を運営しているブロガーのろんすたさん、第1部を中心にレビューいただいた小川雄太郎さんに感謝いたします。本書の編集は講談社サイエンティフィクの大橋こころさんが担当されました。改めて感謝申し上げます。

試してみた感想をSNSなどで見つけることを楽しみにしています。この本が、みなさまのChatGPTの活用に少しでもお役に立てれば、それが著者にとって最大の喜びです。

ここまで読んでもらえて嬉しいわ。よいChatGPT ライフを！

ボクたちを街で見かけたら、よろしくね！

著者紹介

カレーちゃん（本名：村田秀樹）

AI エンジニア。『実践 Data Science シリーズ Python ではじめる Kaggle スタートブック』、『Kaggle のチュートリアル 第 6 版』を執筆。Kaggle Grandmaster。データ分析コンペティションをこよなく愛し、好きな食べ物はカレーと焼肉。
X：@currypurin (https://twitter.com/currypurin)
note：https://note.com/currypurin

からあげ

東京大学松尾研究室 / 株式会社松尾研究所に所属のデータサイエンティスト。『人気ブロガーからあげ先生のとにかく楽しい AI 自作教室』『Jetson Nano 超入門』を執筆。『ラズパイマガジン』『日経 Linux』など多数の商業誌・Web メディアへも記事を寄稿。
個人としてモノづくりを楽しむメイカーとして「Ogaki Mini Maker Faire」をはじめとした複数のメイカー系イベントに出展。好きな食べ物は、からあげ。
ブログ：「karaage.」(https://karaage.hatenadiary.jp/)
X：@karaage0703 (https://twitter.com/karaage0703)

NDC336.57　　307p　　21cm

面倒なことは ChatGPT にやらせよう

2024 年 1 月 26 日　第 1 刷発行
2024 年 4 月 4 日　第 4 刷発行

著　者　カレーちゃん・からあげ
発行者　森田浩章
発行所　株式会社　講談社
〒112-8001　東京都文京区音羽 2-12-21
販　売　(03) 5395-4415
業　務　(03) 5395-3615
編　集　株式会社　講談社サイエンティフィク
代表　堀越俊一
〒162-0825　東京都新宿区神楽坂 2-14　ノービィビル
編　集　(03) 3235-3701
本文データ制作　株式会社　トップスタジオ
印刷・製本　株式会社　ＫＰＳプロダクツ

KODANSHA

落丁本・乱丁本は，購入書店名を明記のうえ，講談社業務宛にお送り下さい．送料小社負担にてお取替えします．
なお，この本の内容についてのお問い合わせは講談社サイエンティフィク宛にお願いいたします．
定価はカバーに表示してあります．

Printed in Japan
ISBN 978-4-06-534290-9

Memo

Memo

Memo

Memo

Memo

Memo

Memo

Memo

Memo

Memo